Coleção Espírito Crítico

A IDÉIA
E O FIGURADO

Coleção Espírito Crítico

Gilda de Mello e Souza

A IDÉIA
E O FIGURADO

Livraria
Duas Cidades

editora 34

Livraria Duas Cidades Ltda.
Rua Bento Freitas, 158 Centro CEP 01220-000
São Paulo - SP Brasil Tel/Fax (11) 3331-5134
www.duascidades.com.br livraria@duascidades.com.br

Editora 34 Ltda.
Rua Hungria, 592 Jardim Europa CEP 01455-000
São Paulo - SP Brasil Tel/Fax (11) 3816-6777 www.editora34.com.br

Capa, projeto gráfico e editoração eletrônica:
Bracher & Malta Produção Gráfica

Revisão:
Augusto Massi
Marina Kater

1ª Edição - 2005

CIP - Brasil. Catalogação-na-Fonte
(Sindicato Nacional dos Editores de Livros, RJ, Brasil)

Souza, Gilda de Mello e, 1919-
S715i A idéia e o figurado / Gilda de Mello e Souza.
São Paulo: Duas Cidades; Ed. 34, 2005.
192 p. (Coleção Espírito Crítico)

ISBN 85-23500-40-5 (Duas Cidades)
ISBN 85-7326-329-6 (Editora 34)

1. Estética. 2. Andrade, Mário de, 1893-1945.
3. Literatura - Crítica e interpretação. 4. Artes plásticas - Crítica e interpretação. 5. Cinema - Crítica e interpretação.
I. Título. II. Série.

CDD - B869.3

Índice

I.

Sobre *O banquete*

O banquete[1] representa o último momento da longa meditação sobre a Arte, que atravessa a obra de Mário de Andrade, desde o período das vanguardas até 1945. Embora inacabado, esse texto forma, juntamente com o *Curso de história da arte* da Universidade do Distrito Federal, o grande díptico onde se encontram expressos, de maneira mais sistemática que na variada produção crítica e na correspondência, os temas principais de sua Estética. Com o tempo os estudos mais aprofundados irão certamente unificar um pensamento caprichoso — "em lascas", como ele o chamou certa vez com humor — mas extremamente rico e pessoal; então, à semelhança da paisagem, que só transmite o seu sentido verdadeiro quando a visão ordenadora do pintor a interpreta — nós o veremos se desenhar, finalmente, como um dos momentos mais altos da reflexão artística brasileira.

De 1917, ano em que publica a sua primeira *obra imatura*, *Há uma gota de sangue em cada poema*, a 1945, quando a morte o surpreende aos 51 anos, em plena atividade, se desenrolam, quase sem solução de continuidade, os grandes aconteci-

---

[1] Mário de Andrade, *O banquete*, São Paulo, Duas Cidades, 1977; 2ª edição, 1989.

mentos do século: Primeira Guerra Mundial, Revolução Russa, guerra da Espanha, expansão do nazi-fascismo, Segunda Guerra Mundial; ao mesmo tempo dá-se entre nós a queda gradativa das velhas oligarquias e o advento do Estado Novo. Foi nesse período de transformações radicais no Brasil e no mundo que Mário de Andrade exerceu, com empenho apaixonado, o seu ofício de escritor; que viveu "o drama do artista contemporâneo, ao mesmo tempo artista e homem e que não quer abandonar nem os direitos desinteressados da arte pura, nem as intenções interessadas do homem social".

Esse "drama intenso" que ele analisou com tanta acuidade a propósito de Portinari, de Segall, de Chopin, representa o eixo central de *O banquete*. É ele que unifica o amplo discurso aberto oferecido ao leitor, e que se deve ler em vários níveis. No primeiro, mais superficial, *O banquete* é apenas uma crônica dos costumes artísticos da época; sob o disfarce da cidadezinha provinciana de Mentira, na Alta Paulista, Mário de Andrade focaliza os vícios correntes nos grandes centros artísticos brasileiros: a falta de formação profissional dos músicos, a escassez e precariedade das orquestras sinfônicas em atividade, a situação caótica da composição musical brasileira, e a valorização desmesurada do virtuosismo, o desejo ingênuo de reconhecimento universal do artista nacional. Em seguida a essa análise contingente, a meditação de *O banquete* se aprofunda e se bifurca, esboçando o que se poderia chamar — de acordo com a esclarecedora distinção metodológica de Pareyson — uma Poética e uma Estética propriamente. Isto é, teríamos, de um lado, uma doutrina "programática e operativa", ligada a um momento determinado da história, que tenta traduzir em normas um programa definido de arte (Poética); de outro, uma reflexão desinteressada, de caráter filosófico e especulativo (Estética). A primeira estaria marcada pelo que Mário de Andrade chamou a sua atitude "pragmática e utilitária" e incluiria a pregação em favor de uma arte nacional e de uma arte de combate; a reflexão sobre arte popular e arte erudita, arte individualista e arte empenhada. A segunda, ao contrário, mais intemporal que a Crônica e mais liberta que a Poética, abrangeria sobretudo a análise dos elementos permanentes da arte: por exemplo, a distinção entre estética e estesia; o estudo da sensação estética; a distinção entre inovação e academismo; a curiosa classificação dos gênios; e, sobretudo, o estabelecimento de um conceito básico como o *inacabado*, que seria visto no plano das técnicas e no plano das artes, permitindo, talvez, a circulação difícil entre os dois terrenos relativamente estanques da Poética e da Estética.

O momento essencialmente político em que Mário de Andrade viveu e a consciência quase apostolar de seu destino de escritor fizeram com que ele — nos escritos de maior alcance e nos pronunciamentos públicos — forçasse a leitura de seu pensamento nos dois primeiros níveis. Esperemos que a publicação de *O banquete*, passados mais de trinta anos de sua morte, revele agora, ao leitor de hoje, a riqueza de um pensamento que ainda não foi devidamente avaliado.

O professor de música

Nesta apresentação[1] não pretendo comentar, com a minúcia merecida, o trabalho inteligente e consciencioso de Flávia Camargo Toni, localizando, organizando e anotando o pequeno compêndio de *Estética musical* que Mário de Andrade deixou incompleto. Quero apenas chamar a atenção para a importância do achado e transmitir ao leitor algumas observações que foram me ocorrendo, à medida que me familiarizava com o texto e procurava inscrevê-lo em seu momento.

O período que se segue à Semana de Arte Moderna e vai de 1922 a 1928 é fundamental na trajetória do grande escritor e deve ser tomado como referência para que se entenda a sua evolução. A batalha do Modernismo foi para todos que nela tomaram parte um divisor de águas, uma ruptura, mas para Mário de Andrade representou o primeiro momento de um desafio. A 20 de janeiro de 1922 era nomeado catedrático de História da Música do Conservatório Dramático e Musical de São Paulo; vinte e dois dias depois, de 13 a 18 de fevereiro, tomava parte na Semana de Arte Moderna, onde seria um dos representantes mais

---

[1] Publicado originalmente como prefácio a *Introdução à estética musical*, de Mário de Andrade, organização de Flávia Camargo Toni, São Paulo, Hucitec, 1995.

Professores do Conservatório Dramático e Musical de São Paulo, em 1922: Ribeiro de Andrada, Felipe di Lorenzi, Luís Pinheiro da Cunha, Guido Rocchi, Pedro Augusto Gomes Cardim, Mário de Andrade, João Gomes de Araújo, Samuel Archanjo dos Santos, Carlino de Crescenzo e José Wancolle.

visados pela estrondosa vaia do Teatro Municipal. Duas fotografias da época — hoje clássicas — registram os dois acontecimentos e prenunciam o que será, daí em diante, a dupla jornada desse moço de vinte e nove anos.

A primeira fotografia fixa os professores do Conservatório no almoço em que comemoram a promoção do companheiro mais jovem. A imagem é convencional e respeitosa, desde a colocação dos figurantes, que se distribuem de acordo com a idade e o merecimento. Estão todos de preto, numa frontalidade dominante e marcam no centro do grupo o lugar de chefe, na figura impositiva de Gomes Cardim, o único de capa e levemente de três quartos. Uma certa fantasia dos chapéus talvez chamasse a

Almoço comemorativo da Semana de 22 com a presença de, entre outros, Couto de Barros, Manuel Bandeira, Mário de Andrade, Paulo Prado, René Thiollier, Graça Aranha, Gofredo Silva Telles, Candido Mota Filho, Rubens Borba de Moraes, Luís Aranha, Tácito de Almeida e Oswald de Andrade.

atenção de Machado de Assis, que notaria, certamente, que os mais moços do grupo, Mário de Andrade e Samuel Archanjo dos Santos, estão sérios e empertigados, meio escondidos na fila dos fundos. As bengalas e guarda-chuvas, ao contrário do que ocorre em nosso romance romântico, não interrompem com a ameaça do gesto a hirta severidade da composição. Permanecem seguras em posição vertical à espera do momento de servir. A nota dissonante só se manifesta na imagem do maestro Rocchi, que tendo aportado no Brasil com uma Companhia de Ópera, nunca abandonou uma certa postura boêmia, que se traduz na colocação displicente do chapéu, no colete branco de fustão e na gravata *lavalière*.

A fotografia dos modernistas mostra-os, ao contrário, muito à vontade. A composição se dispõe num triângulo isósceles de grande horizontalidade, tendo na ponta inferior Oswald de Andrade e mais ao alto e no centro a "autoridade intelectual e tradicional" de Paulo Prado — como Mário o designa em seu célebre escrito sobre o movimento modernista. A distribuição dos retratados é casual, não se sente nenhuma preocupação de pose na atitude dos corpos. Oswald, no primeiro plano, sentado no chão, segura com uma das mãos o pé esquerdo e com a outra empunha com naturalidade o charuto. Couto de Barros, na extrema-esquerda, compõe uma figura enérgica, as pernas afastadas, as mãos cuzadas nas costas. As mãos, em geral tão sensíveis quando nos sentimos observados, não revelam constrangimento, estão no bolso, nas costas, sobre a guarda da cadeira, empunhando o cigarro à altura do peito, livres ao longo do corpo. Nem todos estão de escuro. Oswald, muito elegante, enverga um jaquetão e calças, eu creio, de veludo cinzento. Quatro dentre eles vestem ternos mesclados, de lã. E embora três pareçam mais conservadores que os demais em seus colarinhos duros de pontas quebradas, os restantes usam camisas comuns. As gravatas são na maioria longas, mas já pousam aqui e ali quatro gravatinhas borboleta, anunciando a voga que logo mais o Partido Democrático irá difundir.

Mário de Andrade figura nos dois grupos e isso é significativo. O destino acaba de lançá-lo no centro de um rodamoinho, onde se vê disputado por uma instituição tradicional e mesmo retardatária e um movimento revolucionário e escandaloso. Em março, durante o carnaval, escreve para a madrinha que descansa em Araraquara, procurando tranqüilizá-la contra a assuada do Municipal: "Assim como as vaias chegam, as honras também chegam. Estou professor catedrático do Conservatório, consideradíssimo lá dentro, tenho uma boa roda de amigos, sou feliz". Desta vez a fórmula, que em geral sabe cunhar com perícia, não soa muito adequada à situação: o escândalo da Semana lhe acarretara a perda total dos alunos de piano e um baque de dois contos de réis no orçamento mensal. Quanto ao Conservatório, só não o dispensaram porque o cargo que acabava de ocupar era vitalício.

Aos poucos a fama de bom professor e o prestígio junto aos alunos amortecem o temor das famílias e pela altura de 1924 já está reequilibrando as finanças através de um curso particular de Estética e História da Música, dado a um grupo de moças. Algumas delas conservaram ao longo dos anos os cadernos de notas onde copiaram com capricho os pontos fornecidos pelo mestre. Estes documentos, a correspondência com Manuel Bandeira e Carlos Drummond de Andrade, o manuscrito precioso que Flávia Camargo Toni está nos apresentando permitem recuperar, não só um período, mas uma face pouco conhecida de nosso autor: a sua atuação no magistério.

Agora é possível focalizá-lo — como faz a primeira fotografia — no espaço acanhado do ganha-pão, exercendo disciplinadamente o seu ofício. É um jovem professor, tímido, no início da carreira, que, por excesso de escrúpulo e incapacidade de improvisação, habituou-se a redigir as aulas, uma por uma. Não sabemos como eram as lições do Conservatório, mas as do curso particular, que a aluna Carmem Borelli copiou com caligrafia impecável, repetem com fidelidade a parte da *Estética musical* que ele deixou redigida. É provável que se trate do mesmo texto, mas isso não indica que o considerasse pronto para a publicação. Em 7 de maio de 1925 comunica a Manuel Bandeira que o livro vai indo rapidamente e os quatro capítulos iniciais seguirão logo para o amigo opinar. O conjunto lhe parece interessante, pois as lições, apesar de vinculadas às atribuições didáticas, acabaram revelando "certas vistas novas ou pelo menos renovadas que lhe dão certo caráter curioso".

Premido pelas tarefas didáticas e pela variedade dos interesses, está tomado de "verdadeira fúria de saber". Não tem arte que não ame e cujos problemas não o preocupem. Para suprir as deficiências de sua formação autodidática, estuda ao mesmo tempo muita psicologia, estética, filologia, línguas, filosofia, sociologia etc. etc. E ainda está absorvendo a informação recente da cultura alemã, o encontro perturbador com a psicanálise. É conveniente abrir um parêntese para que se entenda melhor este período difícil de ruptura e de reformulação dos valores, em que o nacionalismo será uma das pedras de toque.

A crise do nacionalismo — se é que posso chamá-la assim — vem se arrastando há algum tempo e no momento da publicação de *Macunaíma* já atingira em cheio o nosso autor, como se pode constatar pela carta de 28 de fevereiro de 1928, escrita a Carlos Drummond de Andrade:

> "Pois esse tal de brasileirismo está me fatigando um bocado, de tão repetido e tão aparente. 'Sou brasileiro' é frase que me horroriza, palavra. [...] Também publico o *Macunaíma* que já está feito e não quero mais saber de brasileirismo de estandarte. [...] Meu espírito é que é por demais livre pra acreditar no estandarte. E por aí você já vai percebendo quanto me sacrifico em mim pela arte de *ação* que me dou, que me interessa mais, tem maior função humana e vale mais que eu. Mas agora a ação já está feita e o que carece é a contra-ação porque o pessoal engoliu a pílula e foi na onda com cegueira de carneirada. Confesso que quando me pus trabalhando pró-brasilidade complexa e integral (coisa que não se resume como tantos imaginaram no trabalho da linguagem) confesso que nunca supus a vitória tão fácil e o ritmo tão pegável. Pegou. Eu estava disposto a dedicar a minha vida pro

trabalho. Bastaram uns poucos anos. Tanto melhor: vamos pra frente!"[2]

O conceito de *brasilidade* de Mário de Andrade era complexo e integral, mas não impediu que um de seus alvos — a pesquisa de linguagem — se transformasse em motivo de discórdia dentro do grupo modernista. Nenhum dos companheiros aceitava sem reserva a sistematização da fala brasileira que ele procurava impor, e provavelmente só Manuel Bandeira continuava lendo e discutindo, com disciplina e lucidez, os prefácios e notas que acrescentava aos trabalhos. Além disso o problema da língua não era apresentado de maneira impositiva e uniforme, mas por etapas e em vários níveis. *Macunaíma* e *Amar verbo intransitivo*, por exemplo, lançados quase ao mesmo tempo devido a dificuldades editoriais, eram experiências complementares que deviam ser lidas como um díptico. Mas a presença muito forte e mesmo avassaladora do primeiro livro acabou eclipsando completamente a mistura de teoria e psicologismo, as inovações requintadas de técnica narrativa, enfim "o humorismo comentador" do segundo, como o definia muito bem o autor. Quanto às experiências de linguagem, convém lembrar que era a primeira vez que se fazia sair "da pena direta do romancista, e não da boca dos personagens [...] erros diários de conversação, idiotismos brasileiros, pronomes oblíquos começando a frase. Não por maluquice e para divertir o leitor, mas para forçar a sistematização da nossa fala".

O desentendimento entre os amigos, como era de se esperar, prosseguia diante do novo conceito de poesia manifestado

---

[2] *Carlos & Mário: correspondência completa entre Carlos Drummond de Andrade e Mário de Andrade*, prefácio e notas de Silviano Santiago, Rio de Janeiro, Bem-Te-Vi, 2002, p. 321.

na "Louvação da tarde". Excetuando-se Manuel Bandeira, que logo aderiu àquela fatura forte em que o verso livre vinha medido como num poema parnasiano — ("Que ordem viril eu botei na minha sensibilidade inquieta!" exclamava o autor, convicto do próprio acerto) —, a incompreensão foi geral. Acostumados ao brilho exterior, à pândega, aos efeitos dos poemas nacionalistas — "Carnaval carioca", "Noturno de Belo Horizonte", "O poeta come amendoim" — os modernistas não se entregam ao lirismo calmo e profundo, à "ardência como que escondida" do "poetinha menor" — que é como Mário ironicamente se autodefine nessa nova fase. Acham que ele está fazendo concessões e não se contenta mais em ser célebre entre os companheiros, quer ser célebre pelo Brasil afora.

Ele concede, com melancolia, que prefere ficar onde está, "mais perto de Álvares de Azevedo que de Castro Alves", explorando a sua fase inglesa, estudando a poética de certos alemães, de Toller, de Rilke, lendo a "Filosofia da composição" de Poe. A Drummond declara que está chegando "a um conceito mais humano de agir e de sentir". E aceita, sem falsa modéstia, a avaliação de Manuel Bandeira "que as coisas que está fazendo diferem das de dantes e que se estas eram mais apaixonantes as de agora são mais admiráveis". Mas apesar de tudo não consegue disfarçar o remorso, vendo-as "enormemente gratuitas", depois que lhes tirou as cores de anúncio, com que funcionavam dentro de uma nacionalidade.

Em janeiro de 1928, seis anos depois da arrancada heróica do Modernismo, Mário de Andrade é um homem confuso, dividido entre a expectativa dos companheiros e as suas próprias convicções, entre os problemas da funcionalidade da arte e o direito de se entregar livremente à realização pessoal. Ultimamente tem meditado muito sobre a Poesia, mas perdeu a confiança antiga, que havia demonstrado na teorização da mocidade.

Agora nada o satisfaz, "nem o verso livre nem aquele exteriorismo representativo que caracterizou o que de melhor deu a poesia modernista entre nós". Está numa incapacidade total de julgar o que está fazendo e, ao mesmo tempo, insatisfeito com o juízo que possam ter de sua obra. Acredita ter atingido com a fase artífice, "invisível" de "Louvação da tarde" e dos "Poemas da negra" "o que de mais perfeito e legítimo fizera até aquele momento". E no entanto encontra-se na mesma disposição de ânimo em que, bem mais tarde, irá retratar o jovem compositor de *O banquete*: sente-se sozinho. Vê com melancolia que escreveu no vago, tentou no vago, se defendeu no vago, estudou no vago e agora se defronta com a obra-de-arte que criou — e ama acima de tudo — sem poder avaliá-la, porque os elementos de que se serviu não são garantidos pela tradição. E se ainda conserva a convicção das suas idéias, já não tem nenhuma certeza das realizações em que as transcreveu. — Onde encontrar apoio?

Imaginemos que nesse momento de perplexidade e solidão, tenha ocorrido a nosso autor buscar refúgio na Música. Desde cedo, por deformação de ofício, habituou-se a pensar as várias manifestações artísticas de acordo com a ordenada sistematização musical. Tem um temperamento socrático, gosta muito de ensinar e quando leciona acha fácil dialogar com os alunos ou consigo mesmo, recapitulando as incertezas, reformulando os conceitos, enfrentando os riscos inevitáveis da afirmação e da dúvida. Dar aula não difere muito de escrever cartas, sobretudo quando já se habituou a varar a noite se correspondendo com os amigos, oferecendo generosamente aos mais jovens a sua experiência. A elaboração do compêndio, que agora se impôs, veio reafirmar nele o senso dos problemas, a convicção de que não se ensina Música, se ensina Arte. E para quem viveu desde moço na fronteira das artes é sempre possível, levando em conta a capilaridade das questões, deslizar insensivelmente de um domínio para o outro. Ele mesmo já utilizou em escritos teóricos anteriores — no "Prefácio interessantíssimo" e em *A escrava que não é Isaura* — conceitos musicais bem fixados como "harmonismo", "polifonismo", "sincronismo" para caracterizar certos processos correntes em alguns poetas modernos. A discussão de algumas questões fundamentais da poesia contemporânea e da arte moderna — como o *verso livre* ou a *arte pura* — se esclarece melhor quando posta sob a égide da Música. Vejamos, à guisa de exemplo, como aborda na Estética esses dois problemas.

No primeiro caso, como justifica o verso livre ocasionalmente, a partir da discussão sobre o *ritmo*. — O que é na verdade esse propalado *modelo rítmico*?, indaga ele. — Um pequeno agrupamento de valores temporais hierarquizado por um acento principal, como quer Closson? Mas será necessário incluir na definição de ritmo o elemento temporal? Pois a idéia de repetição não é congenial à música, foi herdada das artes tradicionais, de cuja lição os teoristas musicais não souberam se libertar: aceitá-la é negar o ritmo ao cantochão, à melodia infinita, a inúmeros gestos coreográficos que não apresentam um só elemento de repetição. É negar ritmo ao *verso livre* que, no entanto, "é tão organizado como o metrificado, embora seja um movimento livre, interior, do poeta". — Não seria mais acertado substituir a idéia de periodicidade pelo elemento expressivo? Com isso chegaríamos a uma definição mais abrangente, capaz de englobar a música e a poesia: "Ritmo é toda e qualquer organização expressiva do movimento".

A segunda indagação diz respeito à Arte Pura. — Partindo do exemplo da Música — que no conjunto das Artes representa a realização mais perfeita da Beleza Pura — pode-se admitir, em geral, a Arte Pura? Pode-se encarar a Arte como propõe a revista *L'Esprit Nouveau* — a bíblia dos modernistas brasileiros — como "uma máquina de produzir comoções estéticas"? A questão não é nova e Mário já havia se referido a ela em 1921, no "Prefácio interessantíssimo", retomando-a mais tarde na *Escrava*. Neste último texto ele lembrava que a Música já havia realizado a beleza *apenas artística*, a arte pura, há duzentos anos, com João Sebastião Bach e Mozart. O que não era surpreendente, tratando-se da mais vaga, da menos intelectual de todas as artes; daquela que Combarieu havia definido como "a arte de pensar sem conceitos por meio de sons". — Mas seria válido admitir a mesma possibilidade em relação a uma manifestação artística representativa como a Pintura? Ao abolir o assunto a pintura certamente continuaria nos encantando através da beleza das linhas e das cores, do equilíbrio da composição. Mas reduzida apenas à sua expressão formal e sem a função coletivizadora, se transformava numa arte de grande pobreza. E concluía: "E a finalidade da obra-de-arte é a obra-de-arte, enquanto esta representa o humano transposto pela beleza e aspirando a uma vida melhor".

Estes dois exemplos, que achei oportuno mencionar, testemunham bem o método expositivo de Mário e como, mesmo fixando-se na Música, conseguia transitar com desembaraço de um problema para outro, ampliando o campo estético do aluno. Mas voltemos ao compêndio.

O texto que temos em mãos é bem composto, em certos aspectos muito pessoal e, como foi conservado cuidadosamente por Mário de Andrade, deve ter servido de referência para estudos posteriores. Mas não se pode considerar os seis capítulos que deixou redigidos como uma versão definitiva. A escrita é clara mas incolor e comparada à escrita cuidadosa e cheia de achados expressivos de outros trabalhos da mesma época, ainda parece provisória. Trata-se, contudo, de um documento precioso de sua atuação no magistério e da ordenação que, naquele momento, estava dando às idéias.

O primeiro ponto a chamar a atenção é a acentuada conotação psicológica dos apontamentos, a mescla inesperada de psicanálise e fenomenologia, que tem como apoio constante o conceito básico de sublimação. O curioso é que nessa Estética "fundada no amor e na relatividade da verdade humana" o *nacionalismo*, que ocupara um lugar tão importante na teorização literária anterior, não merece nenhum destaque. É mencionado de passagem, mas para logo ser descartado. Também não há referência à *arte empenhada* ou *de combate*, que é a outra preocupação dominante de seu ideário.

E no entanto a Estética representa uma meditação muito pessoal, sobretudo o quinto capítulo, "A manifestação musical", no qual vou me deter.

O autor entende como "manifestação musical" não o acontecimento privado, em que o artista concretiza na obra o impulso criador, mas o momento bem mais complexo em que "a obra-de-arte, chegando ao destino a que foi destinada", revela a sua mensagem final, "a mensagem do amigo" — como Mário a designa. O que determina o fenômeno artístico "é a sublimação de um ato de amor".

São quatro as entidades que compõem a manifestação musical: o criador, a obra-de-arte, o intérprete e o ouvinte. Ao contrário do que se poderia imaginar — tratando-se de uma Estética do criador — essas entidades não se relacionam de acordo com uma ordem decrescente de importância, mas são praticamente equivalentes. O criador, por exemplo, não é concebido como o ser excepcional que aparece na imagem do senso comum. É um homem como os outros, que se distingue da mediania antes por carência que por excesso de força. De certo modo representa uma forma enfraquecida de humanidade, pois sendo tímido é menos vital e afirmativo; sendo sonhador, é menos integrado à vida prática. É sobretudo um ser desarmônico, que não possuindo a unidade de corpo e espírito do homem comum, vive numa espécie de desdobramento contínuo da personalidade, numa superposição de duas vidas distintas, ou melhor, diferentes. E só atinge a integridade vital no domínio do espírito, na "permanente dádiva de si mesmo" que realiza através da obra-de-arte.

Quem quer que tenha familiaridade com a obra de Mário de Andrade, que conheça bem a correspondência, sobretudo as cartas mais íntimas em que esmiuça com volúpia os meandros de sua personalidade, reconhece nessa caracterização do criador a projeção de sua própria realidade:

> "Eu sou um ser como que dotado de duas vidas simultâneas, como os seres dotados de dois estômagos [declara a Oneyda Alvarenga]. O que mais me estranha é que não há consecutividade nessas duas vidas — o que seria mais ou menos comum [...]. Há completa disparidade, uma sofrida e a outra incapaz de qualquer espécie de dor [...]. A verdade é que são vidas díspares, que não buscam entre si a menor espécie de harmonia, incapazes de se amelhorarem uma pelo auxílio da outra".[3]

É natural que, concebendo a obra-de-arte como o lugar em que a unidade do ser se refaz, ele dê primazia à obra colocando-a acima da fragilidade e indeterminação do criador. É natural que considere a obra-de-arte mais importante que o criador.

Uma vez concluída e posta em circulação, a obra se desliga de quem a gerou, como o filho emancipado se desliga do pai. Mas para que a mensagem de que ela é portadora se atualize e se comunique, é preciso que entre ela e o ouvinte se interponha um intermediário, a figura nova do *intérprete*. — A interferên-

---

[3] *Cartas: Mário de Andrade—Oneyda Alvarenga*, São Paulo, Duas Cidades, 1983, pp. 273-5.

cia indispensável do *intérprete* não irá instalar, no cerne da manifestação musical, um elemento perturbador, uma discordância entre a intenção do criador e a verdade do *executante*? Para responder a esta pergunta Mário de Andrade distingue dois tipos de interpretação, a *passiva*, que procura aderir fielmente à visão inicial do criador e a *traidora*, que projeta na obra o temperamento e a criatividade do executante. Se o intérprete for sincero e tiver, realmente, o que dizer, ambas se justificam. E conclui: "O papel do intérprete é nobilíssimo e suas traições relativas".

Mário de Andrade é bem mais reticente ao aventar uma terceira hipótese, quando o intérprete da obra é o próprio compositor. Neste caso — e ao contrário do que se poderia supor — o conhecimento detalhado da obra pode representar um entrave para a execução. Pois conhecendo a gênese do trabalho o autor tenderá a recriá-lo desde a formação, sublinhando pormenores insignificantes, intenções pessoais, deixando-se levar por uma abordagem analítica, esquecido que a obra deve ser interpretada como uma síntese.

Em resumo, o intérprete ideal — como o ouvinte ideal — seria para Mário de Andrade o puramente receptivo, aquele que "disposto a amar" soubesse se despojar dos ídolos de toda espécie, das verdades transitórias, dos preconceitos adquiridos através dos anos, da veneração descabida, para se nortear, sobretudo, pela compreensão exata do passado.

Essa atitude aberta e apaixonada, distante da erudição vazia e permeada de descobrimento e invenção, que ele louvava no amante de música, não era, por acaso, a que também o definia? Presente no testemunho dos contemporâneos, na correspondência, na obra diversificada, que nos legou, ela ressurge agora na sala de aula, através das anotações de mocidade que Flávia Camargo Toni organizou com dedicação e está nos apresentando.

A poesia de Mário de Andrade

Um dos objetivos desta antologia[1] é tornar mais accessível ao leitor, através de uma certa escolha e de uma nova ordenação, a poesia variada e complexa de uma das personalidades literárias mais expressivas que o Brasil produziu no século XX.

A maioria das composições agrupadas na primeira parte foi escrita entre 1921 e 1922, e reflete o estado de espírito que caracterizou a Semana de Arte Moderna, de que Mário de Andrade foi o ideólogo e um dos protagonistas principais. Esses poemas pertencem aos seus dois primeiros livros *modernos*, *Paulicéia desvairada* e *Losango cáqui*, obras contemporâneas, mas muito diversas do ponto de vista da psicologia da criação. Cronologicamente, *Paulicéia desvairada* (1922) é o primeiro livro de poesias a difundir no Brasil os princípios estéticos das vanguardas européias, além de sistematizar o uso do verso livre. Foi composto em 1921 e, antes de ser publicado, lido pelo autor, primeiro em São Paulo, para os companheiros de movimento, e em seguida no Rio de Janeiro. Essas leituras históricas incentivaram sobremodo a implantação dos processos modernistas.

---

[1] Publicado originalmente em *Os melhores poemas de Mário de Andrade*, seleção e apresentação de Gilda de Mello e Souza, São Paulo, Global, 1988.

Contudo, a conquista do "verso verdadeiramente livre" foi mais lenta e trabalhosa, pois, como disse Mário de Andrade, "ninguém se liberta duma vez das teorias avós que bebeu" — isto é, do repertório tradicional das imagens, do ritmo metrificado e do apoio da rima. Se prestarmos atenção, veremos que embora contenha um grito pessoal e apaixonado, *Paulicéia desvairada* não representa uma etapa totalmente inovadora ou revolucionária. Como o próprio autor frisou no momento da publicação, o livro é uma ponte entre o passado e o futuro, conservando, ao lado da feição modernista, vários traços herdados do parnasianismo e do simbolismo. Além disso, a novidade chocante do verso livre é freqüentemente mitigada pelo contrabando das rimas internas, a utilização no mesmo poema de rimas, ora consoantes, ora toantes, e ainda a exploração irônica de formas gastas, como o soneto.

Mas se *Paulicéia desvairada* divulga o verso livre, é em *Losango cáqui* (1926) que deparamos com o aspecto verdadeiramente experimental da primeira fase modernista. Os seus poemas já introduzem modalidades que Mário de Andrade nunca mais abandonou: as *notações líricas*, suscitadas pelas sensações, idéias, momentos da vida, e as *meditações*, composições longas e elaboradas, onde discute o seu próprio destino ou o destino incerto da pátria. Em ambos os casos nos defrontamos com uma poesia dinâmica, de ar livre, que, feita ao sabor da caminhada, vai recolhendo os sinais que circulam incessantemente entre a realidade exterior e o ser profundo do poeta.

Durante o período modernista, é o sentimento da cidade de São Paulo — íntimo, afetuoso, embora sempre mesclado de humor — que provoca a emissão viva das idéias. Às vezes a referência ao real é tão minuciosa, que o leitor da época poderia localizar, sem esforço, os trechos urbanos a que o poema se referia, refazendo, por exemplo, o itinerário da parada de 7 de setembro ("Parada") ou o trajeto de bonde pelo bairro aristocrático ("O domador").

Depois dos poemas dessa fase inicial, o leitor encontrará os que foram escolhidos na obra posterior, a começar por um livro-chave, *Remate de males* (1930). Poderá então verificar como, à medida que se afasta dos aspectos belicosos do Modernismo, a poesia de Mário de Andrade vai ficando mais subjetiva, fazendo, por exemplo, com que os *momentos*, *noturnos*, *improvisos* percam o seu corte puramente descritivo. Agora, os sentidos, mais afinados, captam o mundo exterior como fonte de sinais, que transfiguram a realidade e parecem *compô-la* numa atmosfera quase musical: "a doçura da manhã praceana", "a mão de chuva do vento" no descampado da fazenda.

A lírica amorosa leva mais adiante essa contaminação recíproca do sentimento da paisagem e dos estados afetivos. Ela abrange num leque amplo as várias gradações do amor: amizade amorosa pela "doce amiga", amor platônico pela "rica senhora", relação carnal do "Girassol da madrugada" e dos "Poemas da negra".

Chamamos a atenção do leitor para a importância histórica dos "Poemas da negra", que constituem um dos pontos altos da lírica de Mário de Andrade. Ambientados no Recife, manifestam o já referido efeito de contaminação entre a tonalidade afetiva e o sentimento do mundo ambiente. A série pertence ao ciclo que ele chama de "poemas invisíveis", de "poemas azuis", para os quais solicita nas cartas a atenção de Manuel Bandeira. Diante da resistência do amigo em aceitá-los, Mário observa com a argúcia costumeira que isso talvez derive do fato dele ter valorizado uma negra, "fazendo-a sair das faculdades de concepção baudelaireana". Trata-se, efetivamente, de uma atitude inédita na lírica brasileira. Para avaliá-la, basta comparar a ternura comovida e mesmo reverente do poeta em face da sua "casta rainha", com o erotismo de senhor de engenho a que já se habituara a sensibilidade nacional e se desprende, por exemplo, da "Negra Fulô", de Jorge de Lima.

A trajetória poética de Mário de Andrade é dinâmica, e em etapas seguintes, ou mesmo simultaneamente, podemos encontrar outros modos de relacionamento com os seres, o mundo, a própria personalidade. Assim, o monólogo interior, que na fase inicial acompanhava o ritmo das caminhadas, no campo ou na cidade, se transforma em diálogo com o irmão longínquo do Norte ou do Sul (por exemplo: "Dois poemas acreanos", não incluído nesta antologia). Por sua vez, a relação com o mundo perde a interioridade e se pauta pela alternância do "devaneio do caminho" e o "devaneio do repouso" (para usar a distinção de Bachelard), gerando oposições gratas à personalidade dividida de Mário de Andrade, todas baseadas na natureza externa: rio/lagoa, altitude/planície ("pirineus"/"caiçaras"), manhã/tarde, dia/noite.

Essas tendências podem ligar-se a um pendor muito vivo para a *meditação*, que leva o poeta a passar da experiência imediata (o passeio, o espetáculo do povo, a paisagem, a festa) para a reflexão sobre a vida, o eu, a pátria. Isso pode ocorrer tanto nos momentos de virtuosismo quase pitoresco ("Carnaval carioca"), quanto em largos panoramas ("Noturno de Belo Horizonte") ou nas peças onde, à maneira dos românticos, combina a introspecção ao sentimento da paisagem e à mobilidade do observador. Este último caso é o da "Louvação da tarde", onde aparece um traço importante de Mário de Andrade: a realização do novo pela fidelidade à tradição. Lendo esses admiráveis decassílabos brancos, pensamos quase insensivelmente em alguns dos nossos poetas do passado e nos poetas ingleses "dos lagos", sobretudo Wordsworth, aos quais Mário se refere implicitamente na simples adoção desse tipo de poema.

"A meditação sobre o Tietê" é a última dessas composições, terminada treze dias antes da morte repentina do poeta. "Grimpado do arco da Ponte das Bandeiras" ele vê passar, refletida na água oleosa do rio, a cidade iluminada e a estranha fauna que a povoa. Então, como uma "ronda de soturnas sombras", retornam, movendo a "água noturna", a "noite líquida", os temas e motivos dominantes que atravessam a sua obra e são agora rememorados na trágica antevisão da morte: os amores, as lutas, os sonhos, os projetos, as amarguras de uma trajetória sofrida. De todas as meditações, esta é a mais dramática, mais complexa, mais cifrada.

O processo poético que caracteriza a obra de maturidade de Mário é misterioso, intencionalmente oblíquo e portanto difícil. O pensamento sempre aflora camuflado através de símbolos, metáforas, substituições — expediente impenetrável para quem não possui um conhecimento mais profundo, tanto da realidade brasileira, como da biografia do escritor.

De fato, uma das referências do seu código poético é o Brasil, que ele procura apreender em vários níveis, nas variações semânticas e sintáticas da língua, nos processos tradicionais da poética erudita e popular, nas imagens e metáforas que tira da realidade exterior: a cidade natal onde viveu, o mundo muito mais amplo da geografia, da história, da cultura complexa do país. E como a outra referência do código é o eu atormentado do artista, a poesia resulta numa realidade ao mesmo tempo selvagem e requintada, primitiva e racional, coletiva e secreta, que não se furta ao exame, mas está sempre disfarçada por trás da multiplicidade das máscaras.

Para situar melhor este curioso processo poético, creio que é esclarecedora a comparação com um poeta bem diverso, Manuel Bandeira. Por coincidência os dois têm uma poesia baseada no mesmo tema: "Brasão", de Mário, e "Carta de Brasão", de Manuel. O confronto pode esclarecer a especificidade de cada um.

Brasão
(10/12/1937)

Vem a estrela dos treze bicos,
Brasil, Coimbra, Guiné, Catalunha
E mais a Bruges inimaginável
E a decadência dos Almeidas.

E sobre a estrela dos treze bicos
Pesa um coração mole
De prata coticada trezemente,
Em cujo campo há-de inscrever-se
"Eu sou aquele que veio do imenso rio".

E sobre o campo do meu coração,
Todo em zarcão ardendo,
Há em ouro a arca de Noé com vinte-e-nove bichos blau,
E a jurema esfolhando as folhas derradeiras
Sobre Mestre Carlos, o meu grande sinal.

E a seguir a trombeta, essa trombeta
Insiste pela Catalunha,
Mas desta vez eu que escolhi!
Ôh, meus amigos,
Perdão pelos séculos pesados de cicatrizes infinitas,
Perdão por todas as sabedorias,
Pela esfera armilar das conquistas insanas!
Essa trombeta eu que escolhi, toda de prata,
Com treze línguas de fogo na assustadora boca,
E a inscrição "Que-dele eles?"
Eles, os bandeirantes...

E falta o boi Paciência, o boi que pertence a Armida,
Traz por guampas os cornos da luna

E um peitoral de turmalinas.
Mas esse vem no outro coração mole,
Não se mostra a ninguém.
O boi Paciência serão treze preguiças assustadas,
No porto do imenso rio esperando,
Esperando pelos treze caminhos
Das mil cavernas das quarenta mil perguntas.

Ai, que eu vou me calar agora,
Não posso, não posso mais!

CARTA DE BRASÃO

Escudo vermelho nele uma Bandeira
Quadrada de ouro
E nele um leão rompente
Azul, armado.
Língua, dentes e unhas de vermelho.
E a haste da Bandeira de ouro.
E a bandeira com um filete de prata
Em quadra.
Paquife de prata e azul.
Elmo de prata cerrado
Guarnecido de ouro.
E a mesma bandeira por timbre.

Esta é a minha carta de brasão.
Por isso teu nome
Não chamarei mais Rosa, Teresa ou Esmeralda:
Teu nome chamarei agora
Candelária.

(22/6/1943)

O poema de Manuel Bandeira é construído de acordo com um sistema de sinais *que equivale ao sistema corrente*. Isto é, em vez de recorrer a um código particular, o poeta usa o dicionário de toda a gente, para que a palavra designe a realidade de todos. Isto faz com que a simplicidade dos versos comporte uma leitura de superfície que é bastante coerente, e o texto resulte enxuto, quase geométrico. As palavras não tentam extravasar o limite estritamente denotativo que lhes foi imposto e se limitam à descrição seca e objetiva das armas de família. Apenas de passagem, e numa breve oscilação de sentido, ousam baralhar num trocadilho fortuito o timbre do brasão e o sobrenome do poeta. A partir daí, e até a vibrante oferta final, elas remetem apenas a elas mesmas, obrigando-nos a fixar sobretudo a espessura formal dos vocábulos, os sons rascantes ou líquidos, que riscam a limpeza gráfica do poema: quadra, quadrada, rompante, timbre, cerrado, armado, filete, paquife. A atenção do leitor é forçada e concentra-se nesse núcleo emblemático, intencionalmente pobre, de onde foi banida toda palpitação cromática ou fluidez de sentido. Como certa pintura moderna, o jogo dos significados foi substituído pela nobre solidão do significante, fazendo o choque estético derivar da articulação que se efetua entre a primeira parte fria, heráldica e o fecho imprevisto, quando o poeta, rendido, depõe as armas aos pés da mulher amada:

> "Esta é a minha carta de brasão.
> Por isso teu nome
> Não chamarei mais Rosa, Teresa ou Esmeralda:
> Teu nome chamarei agora
> Candelária."

Nada mais afastado deste poema que o texto tumultuoso de Mário de Andrade. "Brasão", incluído na coletânea *A costela do Grã Cão*, pertence ao período atormentado em que, temendo a proximidade da morte, Mário de Andrade inicia em vários níveis (cartas, conferências, obra poética) o balanço da própria vida. O quadro que o poema apresenta é inquietante, mesmo que não se atente à significação isolada de cada termo. O colorido opulento expressa desde o início o tom emocional dos versos, no claro-escuro vivamente iluminado, que opõe duas metades antagônicas, feitas de fogo e treva, zarcão ardendo e escuridão de "mil cavernas". Uma infinidade de elementos heterogêneos, reduzidos à mesma proporção niveladora, compõem a iconografia fantástica, boscheana, desse mundo dilacerado: países, cidades, símbolos religiosos e de conquista, inscrições divergentes, um variado bestiário. São sinais descritos com minúcia, que não ficam imóveis, retidos na carta de armas, à disposição do olhar. Eles emergem de uma reserva comum, ao mesmo tempo coletiva e privada, remota e presente, e vêm ao encontro do poeta, lentos e graves, como o imaginário perturbador dos sonhos.

O poeta saúda comovido o estranho cortejo e reconhece um a um os sinais alinhados em campos opostos: de um lado, a cultura européia, o catolicismo, a decisão da vontade e a identidade construída; de outro, a cultura local, o catimbó, a celebração da preguiça e a identidade profunda. Ali estão reunidas no discurso simbólico, identificadas, equivalentes, intercambiáveis, a "pátria despatriada" e a "personalidade arlequinal", de outros poemas. A qual delas este se refere?

O texto, muito complexo, permeado de ressonâncias, exige uma leitura em profundidade, atenta às metáforas recorrentes, às oposições obsessivas, aos deslizamentos de sentido. Atenta não apenas à enumeração dos *sinais*, mas aos *esquecimentos* e *disfarces*, que, não obstante o tom confessional do poema, insistem em preservar a intimidade e o segredo:

"E falta o boi Paciência, o boi que pertence a Armida,
Traz por guampas os cornos da luna
E um peitoral de turmalinas.
Mas esse vem no outro coração mole,
Não se mostra a ninguém."

Este negaceio constante, feito de confissão e recalque, abandono e reserva, terminará no brusco arremate do dístico final que, tenso e emocionado, trai a conotação autobiográfica dos versos:

"Ai, que eu vou me calar agora,
Não posso, não posso mais!"

No entanto, por um paradoxo curioso, é este "Brasão", rigorosamente cifrado, que nos fornece o melhor exemplo para deslindar o rigoroso código poético de Mário de Andrade. Com base nos poemas reunidos aqui, propomos ao leitor que entre por sua conta nessa aventura fascinante.

O colecionador e a coleção [1]

"O homem é o único animal capaz de deixar atrás de si testemunhos-lembranças [...]"

Erwin Panofsky

1.

Em "Noturno de Belo Horizonte", de Mário de Andrade, há um pequeno trecho, logo depois da abertura do poema, que sempre me intrigou. O poema inicia com a descrição da cidade, feita através de um *travelling* rasteiro que, esgueirando-se através das folhagens, "no silêncio fresco da noite deserta", deixa entrever pelas frestas da ramaria o insólito espaço urbano, tecido pelas investidas do mato e a exibição pretensiosa de todos os estilos arquitetônicos. A certo momento o ponto focal se desloca para o alto e se fixa na visão feérica de um céu estrelado, contra o qual começam a sobrepor-se alguns dos episódios exemplares da história mineira. Finalmente o olhar é devolvido à terra e apreende o horizonte infinito, "aberto e pesado de espanto", da

[1] Publicado originalmente em *Coleção Mário de Andrade: artes plásticas*, de Marta Rossetti Batista e Yone Soares de Lima, São Paulo, IEB-USP/Metal Leve, 1984; 2ª edição: São Paulo, Edusp, 1998.

paisagem áspera de Minas Gerais. É então que um trecho curto, de vinte e um versos, passa a descrever o estouro dos rios.

É provável que um leitor com alguma sensibilidade técnica, encantado pelas equivalências que a palavra encontra para sugerir o movimento das águas, que saltam rápidas e impetuosas vencendo os obstáculos, ou se espraiam mansamente nas lagoas e enseadas, se detivesse sobretudo nas sonoridades e na alternância segura dos ritmos. Se a análise quisesse enriquecer a leitura com uma pitada de erudição, talvez não esquecesse de assinalar ainda que esses procedimentos retóricos são datados, lembram demais alguns cacoetes do Modernismo, e que Mário de Andrade pode estar citando um poema preciso, o "Delfim na água azul", de Amy Lowell, traduzido por ele no início da década de 20 e transcrito integralmente em *A escrava que não é Isaura* (1925), como exemplo excelente de domínio artesanal.

Embora respeitando essa abordagem, o meu interesse pelo episódio do estouro dos rios — vamos chamá-lo assim — era sobretudo biográfico e apoiava-se em duas razões: ele exemplificava de maneira sofisticada um dos recursos poéticos correntes do escritor, isto é, continuar falando de si, mesmo quando parecia profundamente imerso na meditação sobre o Brasil; e introduzia, camuflado com habilidade, o tema de Narciso, obsessão que reaparece em outros poemas, nos contos, em seu comportamento e mesmo em algumas de suas análises críticas. Mas vejamos por inteiro o trecho referido, para em seguida desenvolver rapidamente a interpretação:

> "As águas se assustaram
> E o estouro dos rios começou.
>
> Vão soltos pinchando rabanadas pelos ares,
> Salta aqui salta corre viravolta pingo grito

Espumas brancas alvas
Fluem bolhas bolas,
Itoupavas altas...
Borbulham bulhando em murmúrios churriantes
Nas bolsas brandas largas das enseadas lânguidas...
De sopetão fosso.
                    Mergulho.
                                        Uivam tombando.
Desgarram serra abaixo.
Rio das Mortes
Paraopeba
Paraibuna,
Mamotes brancos...
E o Araçuí de Fernão Dias...
Barafustam vargens fora
Até acalmarem muito longe exânimes
Nas polidas lagoas de cabeça pra baixo."

O poeta, que no início do poema caminhava entre os "enormes coágulos de sombra" das ruas de Belo Horizonte, passa a contemplar a movimentação confusa, desordenada das águas, na paisagem agreste das Gerais. Identifica-a interiormente à sua vida, também regida pelas oposições vibrantes, pelos contrastes, ritmada como os rios pelo impulso da aventura e a respiração profunda das pausas. É um abridor de picadas, como já o definiram com acerto, mas sente periodicamente a nostalgia do pouso; por isso, apesar de ter ajudado a renovação artística de seu país (presidindo ao estouro dos rios), espera que, vencida a etapa necessária da rebeldia, a arte retome o ritmo sereno, mais favorável à criação (que as águas se acalmem finalmente nas lagoas).

Mas a meu ver, a chave desse trecho misterioso, cuja compreensão exige não só uma leitura alternativa, mas um conhecimento da biografia intelectual de Mário de Andrade, está na imagem do último verso. Pois não são as lagoas polidas, onde os rios vêm desaguar, já sem forças, que estão de cabeça para baixo, é o poeta que, postado à sua margem, cansado da travessia, inseguro, assim divisa a própria imagem, debruçando-se sobre as águas —, onde busca um valor, uma certeza.

2.

Contudo, nem sempre o complexo de Narciso emerge assim mascarado pelo tratamento metafórico. As cartas e os contos devolvem a fixação consigo mesmo em estado puro, num exercício ininterrupto de vida interior, de egocentrismo límpido e transparente. Por exemplo, quando o narrador busca a criança feia e mal-amada nas velhas fotografias, interrogando o olhar ainda manso, o "rosto sem marcas, franco, promessa de alma sem maldade". Quando observa com melancolia a mudança ocorrida depois do corte dos cabelos, imposto violentamente pelo pai, a conversão imediata do menino integral e sem malícia no ser precocemente envelhecido, voluptuoso, pérfido e astuto. Quando, pouco antes de morrer, em carta dirigida a um amigo, comenta, a propósito de uma de suas fotografias finais, as marcas deixadas pelo sofrimento na cara vincada — não de rugas, mas de "caminhos, de ruas, praças, como uma cidade". E quando a pintura, que ele amou e em cujo destino brasileiro influiu, começa a devolver-lhe através dos retratos a imagem que forjou de sua personalidade, ele se debruça sobre essa nova versão inquietante. Serão trezentos ou trezentos e cinqüenta os personagens que o habitam, como supôs ainda moço, com arrogância e um pouco de ironia? Ou serão apenas dois, ele e seu duplo? Confronta, vertiginoso, as três interpretações tão diversas mas igualmente reveladoras de Portinari, Segall e Flávio de Carvalho, e reconhece que elas fixaram com admirável acuidade a existência em seu rosto das "incompatibilidades irredutíveis do bem e do mal". E se prefere a versão de Portinari, que ressalta o seu *lado angélico* e o fortalece como um tônico, transmitindo-lhe confiança em si e vontade de trabalhar, admite perturbado a fidelidade implacável dos outros dois retratos, que desmistificam — o primeiro com frieza, o segundo com crueldade — "o lado diabólico, as tendências más que procura vencer". Reconhece ali, naquela modulação ternária, fixado para a posteridade, o seu ser dividido, feito de um "eu conhecido", "de encomenda pra usar quando sai na rua", e de um "eu verdadeiro, interior, caótico". Ou, como irá definir em carta a um velho parente de Araraquara, o *eu* e o *contra-eu*. O primeiro, sensível, vibrátil, transmite a mensagem direta do coração e das faculdades mentais; o segundo é um "ente alheio, um quase inimigo, uma assombração (*revenant*) ferocíssima": "Quando defronto o retrato feito pelo Flávio sinto-me assustado, pois vejo nele o lado tenebroso de minha pessoa, o lado que eu escondo dos outros".

No entanto, paradoxalmente, é essa "duplicidade interior", que ele confessa e a arte adivinha, que acaba restabelecendo o equilíbrio de seu comportamento. Sente-se dotado de duas vidas simultâneas (e não consecutivas), duas vidas complementares que, embora díspares e desarmônicas, conseguem permanecer irredutíveis, mesmo nos momentos mais exacerbados de crise moral ou dor física. Uma delas, ligada ao lado espiritual, e incapaz de qualquer espécie de sofrimento, permanece alerta, sádica, analisando; a outra, a *vida baixa*, sofrida, masoquista, apaixonada, apenas "deixa-se viver". O distanciamento entre as duas linhas, que compõem a bi-vitalidade, permite rememorar de maneira fria e objetiva os traumatismos da infância, as desilusões amorosas, as graves crises de identidade na adolescência, os complexos mais permanentes de culpa e punição. Enfim, permite enfrentar o sofrimento, convertendo-o em forma, significação artística, saber. É o que acontece com a "desafetividade irremediável" existente entre ele e o pai, que, confessada nas cartas com extrema amargura e rara sinceridade, ressurge transfigurada nos poemas e nos contos.

3.

No entanto, não é possível deter-se, indefinidamente, no espaço vertiginoso da auto-análise, na preocupação consigo mesmo, talvez herdada dos epicuristas e reforçada pelas técnicas desmistificadoras da psicologia e das vanguardas. É necessário que a acuidade reflexiva, treinada nos "casinhos pessoais, coisas afinal boas de sofrer", se desvie do eu; que a consciência de si mesmo ("tenho uma tão fria consciência do que sou e do que faço...") se transforme na consciência do outro: do que ele faz, deseja, procura esconder e seqüestrar.

Desviando os olhos da própria imagem, Narciso dá início à longa jornada dos disfarces. Será indiferentemente *voyeur*, testemunha, viajante, pesquisador, colecionador, deslocando para regiões cada vez mais distantes o potencial afetivo que, na adolescência, se concentrara nele mesmo. Debruça-se sobre o próximo, procurando deslindar o emaranhado das ações humanas, os atos indevassáveis e os motivos ocultos; transforma-se no narrador onisciente dos *Contos de Belazarte*, na testemunha fria e quase sádica do exercício implacável da autoridade de Joaquim Prestes. E se, abandonando a ficção, entrega-se à pesquisa artística, é ainda para surpreender com indiscrição de *voyeur* o tema da mãe preta, perseguindo a consciência culposa do padre Jesuíno do Monte Carmelo; o complexo de amor-e-medo paralisando o comportamento erótico dos poetas românticos; e, escondido por trás da admirável floração de todo um ciclo do lirismo popular brasileiro, o motivo prosaico da escassez de mulheres no tempo da Colônia.

Narciso atingiu o ponto extremo do processo analítico que iniciou, debruçando-se, sucessivamente, sobre os retratos, os amores, os sofrimentos miúdos, o outro, a ficção, a crítica. Percorreu o terreno movediço da introspecção, das hipóteses brilhantes, das verdades transitórias, do discurso dialógico, por cujas brechas a dúvida pode insinuar-se. Como encontrar agora um ponto de apoio, uma certeza que o fixe em terreno menos fugidio que as lembranças pessoais e o imaginário? Narciso se debruça sobre o mundo e começa a viajar.

4.

Não como turista aprendiz, seguindo a comodidade prevista dos roteiros, mas como viajante, como os viajantes do passado, primeiros decifradores do Brasil. Indaga, observa, registra pacientemente o que vê e lhe informam, em caderninhos inumeráveis que vai retirando, sem cessar, dos bolsos. Sabe que para apreender a realidade é preciso continuar se afastando de si mesmo, das lembranças pessoais, do presente, para penetrar na zona adormecida em que os "vestígios inertes", "congelados", "parecem emergir do curso do tempo": modismos, ditos e quadras populares, frases feitas, melodias esquecidas, destroços de danças dramáticas, ruínas de arquitetura, imagens se desfazendo. Grafa. Fotografa. Registra. Ficha. Recolhe.

Quando de volta à casa examina a colheita, sente-se seguro e compensado. Finalmente, vê desenhar-se à sua volta um mundo concreto, estável, cujos segmentos pode examinar cuidadosamente, comparar, colocando-os um ao lado do outro. Olha demoradamente a coleção, não apenas o que acabou de recolher, mas o que há algum tempo vem juntando e liga-se, quer ao seu interesse pelo Brasil, quer à grande virada artística do Modernismo: são livros, revistas, gravuras, partituras musicais, quadros — enfim, uma infinidade de "testemunhos-lembranças" de um passado remoto ou recente, que agora repousam na "calma sapientíssima" do estúdio. Está ali, bem protegido, o mundo de que necessita: dócil, ordenado, ao alcance da mão e do olhar. Já não é preciso travar a cada passo o duro corpo-a-corpo com as coisas, com o outro, com o real; agora, basta ficar atento aos sinais e desentranhar das formas, das estruturas, as complexas relações de significação. Pois não acumulou visando o lucro, como um *marchand*, ou *status*, como um novo rico, mas para chegar mais perto do Homem e do mundo. Para que um dia, olhando a coleção, ele se reconhecesse, pudesse refazer o grande *puzzle* de sua vida, de sua época. O colecionador descansa na coleção.

5.

Mas a coleção é dinâmica, persuasiva, autoritária e lentamente começa a dominar o colecionador. Uma seiva estranha, misteriosa, um vírus, alimenta o seu acromegalismo incurável. Os livros se multiplicam sem parar e empilham-se pelas mesas, pelo chão, exigindo cada vez mais estantes. É preciso abrigar as imagens no oratório, providenciar pastas para as gravuras. Onde acomodar a multidão de cartas que não param de chegar, as fichas de variados assuntos, as preciosas edições de luxo? Os quadros transbordam das paredes do estúdio para o *hall*, a escada, as salas, o porão. Cioso do seu tesouro, o colecionador teme os roubos e já não viaja tranqüilo. Quando se ausenta, as cartas chegam inquietas, perguntando: — "Lourdes tem limpado os livros? Já chegaram as minhas estantes novas? Luís Saia foi restaurar o índio de Portinari?". A coleção, que salvara o colecionador de suas lembranças, fixa-o no espaço, como já o fixara no tempo. Mas ele não se sente aprisionado; talvez um pouco no exílio, naquele doce "exílio elevado", vizinho ao da poesia.

Mas eis que uma reviravolta no destino arranca o colecionador da coleção e o leva para longe. Quando, desligando-se do Departamento de Cultura, ferido e injustiçado, abandona a cidade natal e se transfere para o Rio, tem por um momento a breve ilusão de que ali poderá refazer a vida. Morar no Rio foi sempre para ele uma aspiração, um *sonho dourado* que jamais chegou a confessar abertamente, e que agora desvendava a si mesmo e aos amigos, empenhados em resolver-lhe a situação econômica. É solteiro, não precisa de ordenado grande e, vencida a experiência dolorosa, pensa que se sentirá mais resguardado — mais próximo de si mesmo, como confessa — longe de São Paulo e ocupando um cargo modesto e obscuro.

A ilusão dura pouco, e um ano depois, embora esteja com a vida relativamente em ordem, só tem um desejo: voltar definitivamente para São Paulo. Entre os inúmeros fatores que provocaram esta crise final, talvez a mais grave que enfrentou, estão a saudade da família, da mãe já idosa e a falta que lhe faz o ambiente de trabalho da Lopes Chaves. Na verdade, sente-se despaisado no grande centro. É um homem da província que não se acostuma com os costumes e maneiras morais da grande capital, um homem em guarda, que já interpôs entre ele e o mundo a mediação protetora dos sinais. Vem de "uma ordem de existências perfazidas, bem delineadas" e se desorienta vendo o espetáculo humano estranhíssimo que lhe oferecem os amigos jovens, com seus destinos im-perfeitos, im-perfazidos, sem projeto — como comenta por carta. Diante desse real pregnante, excessivo, a que já se desacostumou, manchado pela ganga do acaso, o colecionador sente como que uma náusea, "um retrocesso", "um descaminho do ser".

Está só, na grande cidade, com a vida desfigurada, sem casa, sem família, sem memória, sem energia para o trabalho, sem identidade. Trouxe com ele alguns livros, mas "que é ter aqui uns quinhentos livros, pra quem ajuntou dez mil?". E faltam-lhe as músicas "ainda talvez mais numerosas", o piano, para esquecer as agruras do dia, os fichários, as coleções de documentos folclóricos, sobre as quais ainda pretende trabalhar. É um homem diminuído, "sem pernas e sem mãos e sem grande parte da cabeça", "vivendo na beira do estouro, mastigando freios de espuma amarga".

6.

Ultimamente, muito a contragosto, vem sendo obrigado a encarar o que ele chama com melancolia "o problema desilusório da celebridade". Pois está cada vez mais incerto de sua vida, de suas obras. Não terá jogado tudo numa cartada só e perdido a partida?, pergunta desarvorado ao grande correspondente Carlos Drummond. Entre tantas escolhas provisórias que fez, impostas por circunstâncias fortuitas, exteriores, onde encontrar a verdade duradoura, fruto de uma experiência conquistada e de uma convicção? O tempo vai passando rápido, a vida está findando. O colecionador se apressa e retorna ao pouso e à coleção.

Deixemos esse "especialista da paz do seu próprio quarto" desfrutando a felicidade modesta do estúdio, na companhia dos "autores protetores". Aos poucos, irá retomando os trabalhos interrompidos, ordenando os papéis, revendo as fichas e, nos intervalos das labutas diárias e das dúvidas de sempre, "olhando os quadros, os marfins, num silêncio amoroso, cheio de belezas companheiras". Fechado no mundo que criou, feito à sua imagem e semelhança, ele continuará se interrogando; é de seu feitio interrogar-se. Deixemos, pois, que Narciso contemple desencantado a própria imagem. Indiferente ao aceno persistente de seu gesto, desviemos dele o nosso olhar, para ir descobrindo à nossa volta, no que recolheu com paciência e semeou com paixão, o rosto verdadeiro que ele não soube, ou não ousou divisar.

O mestre de Apipucos e o turista aprendiz

Folheando recentemente uma coletânea de documentos sobre o Modernismo brasileiro, deparei com dois artigos sobre Cícero Dias: um de Gilberto Freyre, outro de Mário de Andrade.[1] Achei curioso que os escritos mais ou menos contemporâneos, saudando as primeiras exposições do jovem pintor pernambucano no Rio de Janeiro e em São Paulo, no decênio de 1920, apresentassem concordância acentuada de pontos de vista. Sobretudo quando se leva em conta a espécie de oposição entre a Semana de Arte Moderna e o Movimento Regionalista do Nordeste, de que Mário e Gilberto foram, por assim dizer, os "chefes-de-fila".

E no entanto ali estavam, um ao lado do outro, os dois irmãos inimigos, exaltando em Cícero Dias as mesmas características: "a acuidade exacerbada da sensibilidade", "o desprezo pelos raciocínios fáceis da inteligência", "a atração pelos antagonismos", a "riqueza às vezes mórbida dos contrastes". Exaltando, enfim, a capacidade de representar pelo lápis e pela cor um

[1] *Brasil: 1º tempo modernista — 1917/29. Documentação*. Pesquisa, seleção e planejamento de Marta Rossetti Batista, Telê Porto Ancona Lopez e Yone Soares de Lima. São Paulo, IEB-USP, 1972, pp. 166-73.

mundo feérico e talvez mais real que o verdadeiro — "um outro mundo", como diziam ambos —, onde os valores principais eram, segundo Mário de Andrade, a sexualidade, o sarcasmo, o misticismo; onde "o sexo irrompia desigual e místico", na bela expressão de Gilberto Freyre.

Este acordo tranqüilo, que o confronto dos textos deixava aflorar, era inesperado, mas significava que, independente das discordâncias que sempre afastaram um do outro, existia entre os dois uma zona de trégua. Era como se, voltando as costas ao pensamento racional, aderissem espontaneamente a uma forma concreta de conhecimento, que, "a meio caminho do imaginário popular e do surrealismo", parecia mais adequada para captar o mundo fluido e fugidio da infância. Era o mundo patriarcal do Nordeste brasileiro, feito de fragmentos desemparelhados da memória, enumerações exaustivas, confrontos insólitos, que Gilberto sabia com tanto encanto transportar para o universo da palavra:

> "Os corredores malassombrados de Jundiá, o quarto em que dona Chiquinha amanheceu morta enforcada com os cordões de S. Francisco, o quarto dos padres, o quarto dos santos, a cadeira de balanço que de noite se balança sozinha sobre um tijolo solto que de manhã ninguém descobre (talvez dinheiro enterrado do tempo dos Flamengos), os retratos de parentes em grandes molduras douradas, pastoris, sãojões, santoantonios, sãopedros (com vivas ao coronel Pedrinho de Batateiras e a Pedro Filho também), os Milhões de Arlequim tocados no piano pela mãe de Cícero, agora morta, botadas, batizados, casamentos, enterros, carros de boi, cabriolés rodando pela areia frouxa, deslizando pelo barro mole, afundando gostosos em grandes e macias poças de lama, saltando pelo empedrado das ruas, Lord Carnavon — o de Tutankhamon

— visitando o major, acompanhado pelo padre inglês vestido de preto [...]."[2]

Em resumo: as diferenças notórias que, no decorrer dos anos, afastam Gilberto Freyre de Mário de Andrade não impediam a espécie de cruzamento que no decênio de 1920 os aproxima, quando o primeiro, depois da estadia nos Estados Unidos, volta para o Brasil e o segundo encerra com *Macunaíma* a etapa nacionalista que havia construído no gabinete. É o momento em que ambos pensam o Brasil moderno sem perder o contacto com a cultura popular e a contribuição do passado, embora cada um realize essa tarefa, como iremos ver, segundo seu temperamento e anseio cultural.

Gilberto, preso à sociedade açucareira do Nordeste, prefere defender a tradição, afirmando que o caminho da modernidade está na sabedoria portuguesa de equilibrar os antagonismos e conservar os elementos e as transformações "que atuaram de modo criador no desenvolvimento nacional". Interpreta a realidade social como "participante íntimo e ativo dos valores do grupo" — mas acrescenta com cautela — "criticamente e também com simpatia humana". Constrói a imagem do Brasil através da vivência regional e aceita, de bom grado, que o classifiquem como um "realista romântico".[3] Mário, ao contrário, procura evocar ou reviver o passado sem o transformar numa visão saudosista; sabe o quanto ele pesa em nossos gestos, mas prefere *tradicioná-lo* em valor atuante e referido ao presente. Não é

---

[2] *Ibidem*, p. 167.

[3] Gilberto Freyre, *Região e tradição*, Rio de Janeiro, José Olympio, 1941, pp. 22-42.

um aristocrata, mas um homem comum, urbano, pragmático, que insiste em se confessar sem memória — pessoal ou de grupo — para dissolver melhor as particularidades locais numa concepção ampla de nacionalismo.

No entanto, se é possível aproximar dois intelectuais diversos como Mário e Gilberto, não será descabido — como desejo fazer agora — cotejar a narrativa mágica, mítica do primeiro, com o grande ensaio sobre a formação da sociedade brasileira do segundo? *Macunaíma* é sem dúvida um livro precursor, mas como o próprio autor declara num dos prefácios inéditos que escreveu, "é uma invenção sem compromisso, característica das épocas de transição". Não pretende ser uma análise da realidade. Não obstante, exprime a seu modo uma opinião sobre o Brasil e descreve, através do personagem central, um tipo verossímil de brasileiro, um homem fisicamente indeterminado, psicologicamente contraditório, disputado por tendências conflitantes que não consegue harmonizar: a indolência da selva, de onde provém, e a atração do mundo ordenado da cidade, para onde se dirige. Um dos achados da narrativa foi conceber este herói negativo — sem caráter, sem identidade, sem projeto — sempre correndo, sempre atarefado como um homem de ação. E se está sempre a caminho, não é porque ande em busca do destino, mas porque a estrada é o lugar do homem sem rumo, do deserdado. Por muito tempo este traço ambíguo e perturbador foi obscurecido pela feição mais aparente do livro, a força da sátira e a exploração intencionalmente grosseira da obscenidade. Mas com o passar dos anos, quando foi possível cotejá-lo com o conjunto da obra de Mário de Andrade e a temática dominante do período, viu-se que *Macunaíma* não fôra uma explosão isolada, mas o primeiro tratamento sério de um dos temas do momento: a irresolução dramática do brasileiro em face do próprio destino. Mário de Andrade voltaria a ele, obsessivamente, no ensaio, na prosa, na poesia e, como veremos, num livro de viagem, *O turista aprendiz*.[4]

Casa-grande & senzala,[5] publicado em 1933, cinco anos depois de *Macunaíma*, portanto, é muito diferente da narrativa mítica, fantástica de Mário. É um ensaio de "sociologia genética e história social", como o próprio autor declara, e se apóia em bibliografia rigorosa e atualizada para a época. Apesar disso os dois livros podem ser tomados como obras complementares, na medida em que se articulam em torno do mesmo suporte, que é a análise da preguiça e dos antagonismos que regem a nossa formação cultural.

De certo modo o grande livro de Gilberto Freyre se reduz a uma exposição exaustiva e brilhante de como construímos a nossa cultura, partindo do equilíbrio instável dos antagonismos herdados de Portugal. Isto é, herdamos da metrópole o confronto cultural permanente que já caracteriza a colônia, espécie de *bicontinentalidade*, "que em população vaga e incerta como a portuguesa e brasileira, corresponde ao que é a bissexualidade para o indivíduo". Este traço dominante se reflete em todos os setores de nossa existência: na indecisão étnica, no regime alimentar, na concepção de vestimenta, de moradia, nas manifestações de prestígio, e assim por diante. Somos indeterminados em todos os sentidos, desde o tipo físico, em que o correr dos anos transforma o louro luminoso da criança no louro mortiço do adulto, ou na estranha invenção dos "mestiços com duas co-

[4] Mário de Andrade, *O turista aprendiz*, introdução e notas de Telê Porto Ancona Lopez, São Paulo, Duas Cidades, 1983, 2ª edição.

[5] Gilberto Freyre, *Casa-grande & senzala: formação da família brasileira sob o regime de economia patriarcal*, Rio de Janeiro, Schmidt, 1936, 2ª edição.

res de pêlo".[6] Na vestimenta e na habitação, que conservam o velho hábito português de opor o desleixo da roupa caseira e a dieta frugal do dia-a-dia, à ostentação da *toilette* de domingo e à comezaina das grandes festas. "Às vezes guenzos de fome — comenta Gilberto Freyre — mas sempre de roupa de seda ou veludo, dois, três, oito escravos atrás, carregando-lhes escova, chapéu de sol e pente". No contraste freqüente entre a moradia inóspita e a exibição pública de luxo e riqueza, que ele resume numa fórmula impiedosa: "Palanquins forrados de seda, mas telha-vã nas casas-grandes e bicho caindo na cama dos moradores."[7] Ou nas duas maneiras de falar — "uma de luxo, oficial, outra popular, para o gasto" — que aparecem, por exemplo, na colocação de pronomes e cuja análise admirável merece ser transcrita por inteiro:

> "Um exemplo, e dos mais expressivos, que nos ocorre, é o caso dos pronomes. Temos no Brasil dois modos de colocar pronomes, enquanto o português só admite um — o 'modo duro e imperativo' (João Ribeiro): diga-me, faça-me, espere-me. Sem desprezarmos o modo português, criamos um novo, inteiramente nosso, caracteristicamente brasileiro: me diga, me faça, me espere. Modo bom, doce, de pedido. E servimo-nos dos dois. Ora, esses dois modos antagônicos de expressão, conforme necessidade de mando ou cerimônia, por um lado, e de intimidade ou de súplica, por outro, parecem-nos bem típicos de relações psicológicas que se desenvolveram através da nossa formação patriarcal entre os senhores e os escravos: entre as sinhás-moças e as mucamas; entre os brancos

---

[6] *Ibidem*. Ver todo o capítulo III, sobretudo pp. 142-3.

[7] *Ibidem*, p. 39.

> e os pretos. 'Faça-me' é o senhor falando, o pai, o patriarca; 'me-dê' é o escravo, a mulher, o filho, a mucama. Parece-nos justo atribuir em grande parte aos escravos, aliados aos meninos das casas-grandes, o modo brasileiro de colocar pronomes. Foi a maneira filial e meio dengosa, que eles acharam de se dirigir ao *pater familias*."[8]

Como se vê, tudo à nossa volta revela, para Gilberto, aquele antagonismo que ele já divisara em Cícero Dias — um Brasil que não é

> "de um lado nem de outro mas dos dois — com esse sentido lírico bissexual, essa compreensão de branco e preto, de senhor e escravo, de pessoa e animal, de homem e cousa, de macho e fêmea, de santo e fetiche, de azul e encarnado, a que o poeta [...] tem de atingir antes de poder interpretar a vida brasileira no seu conjunto, na sua profundidade, no seu todo."[9]

Pela originalidade dos pontos de vista, pela maneira inovadora de interpretar o país através dos pequenos indícios, Gilberto Freyre logo se impôs à minha geração. Sobretudo pela determinação com que valorizou o negro em relação ao aborígene. Inventado pelo Romantismo, o álibi do indianismo havia resistido com galhardia até a Semana de 22, no início do século XX, permanecendo vivo mesmo em obras revolucionárias como *Macunaíma*, a *Antropofagia* e formulações abastardadas como o movimento da *Anta*. Gilberto deu um golpe de graça nessa sobrevivência despistadora, demonstrando a importância muito maior da cultura africana. E embora não seja possível desmistificar do

---

[8] *Ibidem*, p. 246.

[9] *Brasil: 1º tempo modernista — 1917/29. Documentação*, p. 168.

dia para a noite um preconceito arraigado, pode-se afirmar, sem exagero, que a partir dele a discussão sobre a mestiçagem brasileira não foi mais a mesma.

Gilberto nos fascinou ainda pelo estilo literário admirável, o senso de composição, a relação extraordinária que mantinha com as palavras — "com as palavras entre si e até as vírgulas e os pontos" — como fazia questão de precisar; pela sensualidade verbal, capaz de harmonizar longos trechos de prosa prousteana com processos enumerativos, colhidos no povo ou nas experiências sofisticadas das vanguardas. Que outro sociólogo ou historiador teria a ousadia de elaborar as sínteses luminosas que ele inventava para definir a colonização portuguesa?

> "Colônia fundada quase sem vontade, com um sobejo apenas de homens [...] o Brasil foi por algum tempo a Nazareth das colônias portuguesas. Sem ouro nem prata. Somente pau-de-tinta e almas para Jesus Cristo."

Ou as fórmulas lapidares a que sabia reduzir a decepção da descoberta:

> "O Brasil foi como uma carta de paus puxada num jogo de trunfo em ouros."[10]

Mário de Andrade levou algum tempo para ordenar as idéias sobre o Brasil. A correspondência com o grande amigo Manuel Bandeira é um testemunho excelente desse período de perplexidade e reavaliações que vai de 1925 a 1927, quando está empenhado em combater a Europa, *esquecer* Portugal e, em seguida, encerrar a fase que apelidara com ironia de "nacionalismo de estandarte". Está desgostoso com a acolhida fria, quase indiferente

---

[10] Gilberto Freyre, *Casa-grande & senzala*, p. 138.

feita a seu romance mais psicológico e cosmopolita *Amar verbo intransitivo* — que ele considera, no entanto, uma realização importante — e aguarda o aparecimento de *Macunaíma* e *Clã do jabuti*, ambos no prelo, para se dedicar a trabalhos que deseja recatados e esteticamente independentes.

É neste momento de transição que devemos situar um episódio decisivo em sua biografia intelectual: as duas viagens que realiza ao Norte e Nordeste do Brasil, em 1927 e 1929, cujos relatos, reunidos em *O turista aprendiz*, só virão a público em 1976, trinta e um anos depois de sua morte. São as duas únicas viagens longas que faz em toda a vida e ele as realiza aos trinta e quatro anos, quando é um escritor conhecido e já traçou as coordenadas do destino. Há um detalhe importante que deve ser ressaltado. Enquanto as viagens de recreio da burguesia seguiam, invariavelmente, a rota Brasil-Europa, esta viagem invertia o itinerário internacional. Ao se dirigir do Sul europeizado para o Nordeste e a região amazônica, Mário de Andrade não visava apenas identificar-se com a diferença brasileira, mas confrontar duas imagens diversas do Brasil: a que ele forjara no gabinete através de uma infinidade de leituras — e de certo modo fixara em *Macunaíma* — e a que pretendia elaborar agora, a partir do contacto direto com a realidade. Se para esclarecer o que desejo afirmar me permitem uma analogia com a pintura, eu diria que, naquele momento, Mário de Andrade era protagonista de uma experiência semelhante à dos pintores impressionistas, que na segunda metade do século XIX, na França, desgostosos com a estética imposta nas escolas de belas-artes, abandonam o ateliê e saem para a natureza e a execução junto ao *motivo*. É um Brasil visto pela primeira vez ao ar-livre que Mário de Andrade pretende enfrentar, quando em maio de 1927 toma no Sul o *Pedro I*, contorna o litoral até o extremo norte e, já numa embarcação fluvial, sobe "pelo Amazonas até o Peru, pelo Madeira até a Bolívia e por Marajó até dizer chega".[11] *O turista aprendiz* é o registro dessa aventura extraordinária.

Pelas anotações de viagem, registradas desde o bota-fora da Estação da Luz, em São Paulo, sabemos que Mário partiu tenso e agoniado, como quem se encontra no limiar de uma experiência decisiva. "Estou sorrindo, mas por dentro de mim vai um arrependimento assombrado, cor de incesto", confessa numa frase reveladora. Todo o início da travessia marítima é dominado por um sentimento curioso de insegurança, como se estivesse sendo disputado por duas personalidades em conflito. "Faz já uns seis dias que vivo em dois homens", registra no caderninho de notas que traz sempre à mão. À medida que o navio avança, rumo a um país desconhecido, ele se esforça para recobrar o equilíbrio e se reunificar. Ou antes, "perder o caráter de uma vez", "dissolver" a personalidade originária para poder ingressar em outra realidade, sugerida pelas "delícias refinadas da tonteira", pelo "som de chuva das ondas". Lentamente vai acrescentando à embriaguez espontânea, provocada pelo balanço do mar, o artifício eficaz do álcool e do sedol. Sente, aos poucos, que "se desumaniza", principalmente "se desoperariza". "Perco esta parte de operário que tem em mim, tão vasta e muito nobre — a melhor parte de mim",[12] comenta. Finalmente anota, com extraordinária lucidez: "Perco o sul de minha personalidade".

Quando chega a Salvador verifica que a "memória literalista da inteligência" já o abandonou. E é reduzido à "memória do corpo", a uma percepção nova, cuja "simultaneidade feroz" lembra o "cinema alemão", que avista a cidade:

---

[11] Subtítulo humorístico que o autor acrescentou ao título do livro.

[12] Mário de Andrade, *O turista aprendiz*, p. 210.

> "Parece incrível que se tivesse construído uma cidade assim... Ruas que tombam, que trepam, casas apinhadas e com tanto enfeite que parecem estar cheias de gente nas janelas, o barulho nem é tamanho assim porém dá impressão de enorme, um enorme grito."[13]

Ao deixar a embarcação marítima e penetrar no continente pelo rio Amazonas, registra que já não tem mais controle sobre si mesmo e está se deixando abater pelo "êxtase" e pela "volúpia". A caminho de Manaus escreve a Manuel Bandeira uma longa carta, comentando detalhadamente a "vida de pura sensibilidade" a que se entregou:

> "O êxtase vai me abatendo cada vez mais. Me entreguei com uma volúpia que nunca possuí à contemplação destas coisas, e não tenho por isso o mínimo controle sobre mim mesmo. A inteligência não há meios de reagir nem aquele poucadinho necessário pra realizar em dados ou em bases de consciência o que os sentidos vão recebendo. Estou *ganzlich* [completamente] animalizado."[14]

Como se vê, ele está consciente de que a primeira parte da viagem se caracterizou, sobretudo, pela renúncia à razão; pelo esquecimento gradativo de tudo o que, até aquele momento, lhe havia norteado a vida — a saber, os conceitos abstratos, as normas de conduta, as decisões dos projetos. O contato com a realidade inesperada de seu país como que restaurou nele um estado de inocência, de disponibilidade perceptiva, e é nesse enqua-

---

[13] *Ibidem*, p. 213.

[14] *Correspondência Mário de Andrade & Manuel Bandeira*, Marcos Antonio de Morais (org.), São Paulo, IEB/Edusp, 2000, p. 346, carta de 4/6/1927.

dramento novo e despojado que, de agora em diante, tem de ir organizando, lentamente, as impressões. Por isso registra tudo com o rigor metódico de quem está refazendo o saber: o gosto das frutas, a variedade dos cheiros, a sutil variação térmica da atmosfera:

> "Esta variedade infinita de calores amazônicos. Batia um calor fresquinho no furo. Ontem, depois da chuva, bateu um calor tão frio que as mulheres daqui se cobriram. E dizem que lá dentro, quando estivermos de-fato no coração do imenso rio, tem madrugadas tão úmidas que a gente chega a tiritar de calor."[15]

Indaga do paladar das frutas, tentando definir, indeciso, o gosto insólito, inconfundível, de cada uma delas:

> "Nesta noite provei sorvete de graviola. Esquisito... a graviola tem gosto de graviola mesmo, isso é incontestável, mas não é um sabor perfeitamente independente. É antes uma imagem, uma metáfora, uma síntese apressada. É a imagem de todas essas ervas, frutas condimentares, que, insistindo, são profundamente enjoativas. Não chega a ser ruim, mas irrita."[16]

Se esforça, com simpatia, para aceitar o "ruim esquisito", o sabor selvagem, tão diferente do gosto familiar, doméstico, das frutas européias. Quando prova o açaí, se detém indeciso, confuso como um jovem polido tendo de opinar sobre uma moça feia:

> "O açaí não chega a ser ruim... Pousa macio na boca da gente, é um gosto de mato pisado, não gosto de fruta, de folha.

---

[15] Mário de Andrade, *O turista aprendiz*, p. 64.

[16] *Ibidem*, p. 84.

E logo vira moleza, quentinha na boca, levemente saudoso, um amarguinho longínquo que não chega a ser amargo e agrada. Bebida encorpada que, por mais gelo que se ponha, é de um quentezinho amável, humilde, prestimoso. É um encanto bem curioso o do açaí!... A gente principia gostando por amabilidade e depois continua gostando porque tem dó dele."[17]

E como descrever — ele tão sensível ao aspecto visual da natureza — o colorido do mundo equatorial, inundado de luz? Existirão matizes, gradações, capazes de resistir ao "branco feroz, desesperante, luminosíssimo, absurdo, que penetra pelos olhos, pelas narinas, poros", como o que o surpreende em Marajó? Como apreender as cores na rapidez vertiginosa do crepúsculo?

"Fez crepúsculo em toda a abóbada celeste, norte, sul, leste, oeste. Não se sabia pra que lado o sol deitava, um céu todinho em rosa e ouro, depois lilás e azul, depois negro e encarnado se definido com furor. Manaus a estibordo. As águas negras por baixo."[18]

E a súbita revoada dos pássaros na boca do lago Arari?

"Garças, garças, garças, uma colhereira dum rosa vivo no ar! E enfim passamos num primeiro pouso de pássaros que me destrói de comoção. Não se descreve, não se pode imaginar. São milhares de guarás encarnados, de colhereiras cor-de-rosa, de garças brancas, de tuiuiús, de mauaris, branco, negro, cinza, nas árvores altas, no chão de relva verde claro. E quando a gente faz um barulho de propósito, um tiro no ar, tudo voa

[17] *Ibidem*, p. 183.

[18] *Ibidem*, p. 133.

em revoadas doidas, sem fuga, voa, baila no ar, vermelhos, rosas, brancos mesclados, batidos de sol nítido."[19]

Tudo lhe parece tão novo e diverso, que ele às vezes pára, "hesitando em contar certas coisas, com medo que não acreditem".

Desde as dunas do Nordeste ele vem cedendo à presença impositiva do mundo exterior, vem cedendo à vida equatorial, tão mais objetiva que a vida do Sul. Tem a impressão que no Norte a parte resguardada das coisas e das pessoas desapareceu, e tudo surge como que "revestido de uma epiderme violenta, perfeitamente delimitada, sem mistérios". Talvez por isso, por causa dessa "franqueza", dessa "sensualidade contagiante de contacto" que envolve tudo e ele procura preservar, quando depara, na beira do Jutaí, com as índias aculturadas que se aproximam do navio em suas embarcações, pode senti-las em perfeita sintonia com a sua sensibilidade de ocidental. Isentas de qualquer avaliação de exotismo, lindas e femininas em seu "tipo asiático perfeito", em sua "fineza esplêndida de linhas". E é com naturalidade, quase com enlevo que lhes descreve a vestimenta, "a saia apertada na cintura nua, a espécie de blusa encarnada... que caía solta em pregas até o ventre... só tapando os seios", o babado que, cobrindo os ombros, deixava "o costadinho de fora". Como se descrevesse a roupa de uma amiga, nada que se assemelhasse à "preocupação impertinente com o sexo" que, em outros escritos, ele reprovou no olhar cúpido dos primeiros cronistas e viajantes.

À medida que tenta se identificar de corpo e alma com o país, surpreendendo-o à luz do ar livre, sente crescer a suspeita

---

[19] *Ibidem*, pp. 176-7.

antiga de que a acomodação entre nós da cultura européia não foi uma solução feliz. O registro que faz, no caderninho de bolso, a 18 de maio de 1927, exprime bem esta perplexidade:

> "[...] Por enquanto, o que mais me parece é que tanto a natureza como a vida destes lugares foram feitos muito às pressas, com excesso de castroalves. E esta pré-noção invencível, mas invencível, de que o Brasil, em vez de se utilizar da África e da Índia que teve em si, desperdiçou-as, enfeitando com elas apenas a sua fisionomia, suas epidermes, sambas, maracatus, trajes, cores, vocabulários, quitutes... E deixou-se ficar, por dentro, justamente naquilo que, pelo clima, pela raça, alimentação, tudo, não poderá nunca ser, mas apenas macaquear, a Europa. Nos orgulhamos de ser o único grande (grande?) país civilizado tropical... Isso é o nosso defeito, a nossa impotência. Devíamos pensar, sentir como indianos, chins, gente de Benin, de Java... Talvez então pudéssemos criar cultura e civilização próprias. Pelo menos seríamos mais nós, tenho certeza."[20]

A idéia de que a transposição para os trópicos de um sistema de referências tipicamente ocidental não se harmonizava com a realidade brasileira é expressa por Mário de Andrade em vários trechos das anotações. Não só de maneira explícita, como na passagem que acabei de citar, mas numa série de referências indiretas, alusões, parábolas, pequenas alegorias satíricas e mesmo episódios reais levemente dramatizados. Detenhamo-nos em duas destas exemplificações.

A primeira é a *monografia humorística* de suposta tribo indígena da Amazônia — os *Do-Mi-Sol* — cujos traços culturais

[20] *Ibidem*, p. 61.

se dispõem de modo simetricamente oposto aos nossos.[21] Estes índios constituem uma espécie de matercracia comunista, em que a distribuição coletiva das ocupações tem por base, curiosamente, a injustiça, para que nunca na tribo haja nas contendas razão plausível de queixas. Os *Do-Mi-Sol* possuem uma mitologia francamente demonológica e, como não conhecem o conceito do Bem, não cultuam nenhuma divindade boa. Além disso, embora possuam a fala, não se comunicam, como nós, através do som verbal das palavras. Isto é, fazem justamente o contrário, dando sentido intelectual aos sons musicais e valor meramente estético aos sons articulados e palavras. Possuem, por esta razão, um número muito maior de sons que os da nossa pobre escala cromática, sendo freqüente descobrirmos em seu discurso o quarto-de-som, não raro o quinto-de-som e, na prosa dos membros mais eruditos da tribo, como por exemplo, os filósofos, palavras em que entra o sexto-de-som. A relação que os *Do-Mi-Sol* mantêm com o pudor é em tudo oposta à que adotamos, pois fazem em público as necessidades e os demais atos que reputamos privados, mas em contrapartida fecham-se na mais absoluta intimidade, para realizar escondidos as refeições. Originariamente os *Do-Mi-Sol* descendem das preguiças. Ou melhor, da luta milenar entre guaribas e preguiças, em que os últimos foram vencedores.

Esta historieta, que procurei resumir, não desempenha n'*O turista aprendiz* um papel apenas ornamental. Sugerida pela experiência extraordinária da viagem, ela tem como objetivo nos alertar para a relatividade dos códigos, sempre abertos para lei-

[21] Mário de Andrade, *O turista aprendiz*. Os *Do-Mi-Sol*, inicialmente designados como os *Pacáas Novos*, são descritos às pp. 90-3, 127, 140-1, 158, 161-2 e 164.

turas alternativas. À semelhança dos estratagemas óticos, postos em voga pela psicologia-da-forma — em que num desenho intrincado podemos ler, indiferentemente, a figura como fundo e o fundo como figura — Mário nos força através deste exemplo a apreender um traço que supúnhamos natural, como aberrante, e uma aberração como um simples traço cultural. Assim, o mundo de cabeça-para-baixo que nos é descrito aqui antecipa e reforça, como veremos a seguir, o episódio do maleitoso, que irá encerrar a viagem e a longa meditação sobre o Brasil.

Neste segundo episódio, quase um apólogo,[22] Mário de Andrade relembra com minúcia a impressão profunda causada nele e nas companheiras de viagem pelo moço comido de maleita que, em certo momento da travessia fluvial, sobe no vaticano para negociar com as autoridades da embarcação as peles de borracha de seu seringal. O *Vitória* descia o rio Madeira, já na volta a Belém, e havia parado na boca de um igarapé, numa dessas tardes "incomparáveis" do Norte, de "pasmaceira, de êxtase" — como ele as define — em que o ar se impregna de religiosidade. Eis que na curva do rio, saindo do silêncio e do mistério, surge da selva uma embarcação, avançando pesada na batida dos remos. É um casco com seis remeiros, que traz na proa o chefe da tripulação e, viajando em pé, no barco oscilante, demonstrando familiaridade com a água, um homem de seus trinta anos. A barba feita, o terno de linho branco muito limpo, a "sensação firme de decoro" que transmite, o "ar de soberbia", revelam que era dono ou filho de dono de seringal. A pele morena, muito pálida, traía a maleita.

O narrador descreve com respeito e admiração o comportamento do moço que, alheio à curiosidade que provoca, sobe a

[22] *Ibidem*, p. 159.

bordo para tratar dos recibos e faturas e, indiferente a tudo em redor, indiferente à beleza civilizada das passageiras, passa sem olhar para ninguém. Apenas, por delicadeza natural, ao se aproximar das senhoras, tira o chapéu nativo de palha e vai-se como veio. Sem olhar. Tentando compreender o que presenciou, Mário comenta:

> "Possivelmente se tratará de uma substituição de problemas, uma diluição de problemas dentro da indiferença. Ou dentro da paciência. Ou dentro da monotonia, que tem mais objetividade. São quase sete horas e nos comovemos na passagem diz-que dificílima de Marmelos. A imagem do moço me persegue. Ter uma maleita assim, que me deixasse indiferente..."[23]

No conjunto de escolhas apaixonadas, que foi fazendo pela vida afora, o que significa esta declaração final, inesperada? O que significa esse desejo de maleita, que a partir da experiência amazônica se tornou uma obsessão em sua vida? A pergunta merece alguns esclarecimentos.

Inicialmente é preciso esclarecer que, para Mário de Andrade, a maleita não representa a moléstia endêmica, cruel e devastadora, que é preciso erradicar a qualquer custo. No sistema complexo de metáforas, equivalências, substituições que elaborou à semelhança de um código, para pensar a realidade de seu país e a sua própria realidade interior — a maleita não está vinculada ao sofrimento. Aparece quase sempre reduzida à prostração que se segue às crises de febre e é aceita por ele como um estado de graça, uma etapa inicial de sabedoria. Mas deixemos que o próprio escritor nos esclareça a respeito:

---

[23] *Ibidem*, p. 159.

> "Assim a obsessão da minha vida, não é o acesso de febre. Nem no acesso de febre se resume a filosofia da maleita, com perdão da palavra. Está claro que o meu desejo é mais elevado. Quero, desejo ardentemente é ser maleitoso não aqui, com trabalhos a fazer, com a última revista, o próximo jogo de futebol, o próximo livro a terminar. Desejo a doença com todo o seu ambiente e expressão, num igarapé do Madeira com seus jacarés, ou na praia de Tambaú com seus coqueiros, no silêncio, rodeado de deuses, de perguntas, de *paciências*. Com trabalhos episódicos e desdatados, ou duma vez *sem trabalho nenhum*. Quanto ao sofrimento dos acessos periódicos, não é isso que desejo, mas a *prostração* posterior, o *aniquilamento* assombrado, cheio de medos sem covardia, a *indiferença*, a semimorte igualitária."[24] [Os grifos são meus]

Em resumo: na elaborada constelação de sinais em que Mário de Andrade projeta o seu imaginário, a *maleita* surge como o equivalente à paciência e à preguiça. Mas à *preguiça organizada*, como ela vem descrita na alegoria dos índios *Do-Mi-Sol*, livre da conotação negativa que a linguagem comum lhe atribui. Agora os dois termos — *maleita* e *preguiça* — se perfilam intercambiáveis, exibindo o mesmo traço distintivo que os identifica: a *indiferença*. Ou melhor, o poder de resistir aos apelos do mundo.

Visto nesta perspectiva, o panteão privado de Mário de Andrade muda radicalmente, quando após a publicação de seu

---

[24] O trecho transcrito foi retirado de uma das duas crônicas do *Diário Nacional*, "Maleita I" e "Maleita II" *in* Mário de Andrade, *Táxi e crônicas no Diário Nacional*, introdução e notas de Telê Porto Ancona Lopez, São Paulo, Duas Cidades, 1976, p. 454.

grande livro ele desloca o olhar que havia pousado em *Macunaíma* para fixá-lo no maleitoso. A escolha não era fortuita e resultara do confronto que fizera entre as duas civilizações: uma, voltada para o mundo exterior e dominada pelo ascetismo do trabalho; outra espiritual e mística, indiferente aos bens econômicos e absorvida no mundo interior. Esta última, semelhante às velhas civilizações que haviam florescido no Oriente e na África, talvez fosse capaz de aliviar a "imensa e sagrada dor dos irreconciliáveis" que habitava entre nós e — a seu ver — viajara para o Brasil na primeira caravela de Cabral. Mas certo de que essa aspiração, que há tempos vinha alimentando, era impossível de ser realizada na prática, ele procura libertar-se dela dentro da arte. No "Rito do irmão pequeno",[25] escrito poucos anos depois da viagem, ele transfere o paraíso sonhado para a poesia. Para o limbo ou nirvana de calmaria serena, pasmaceira, silêncio, em que na "sonolência dos enormes passados" ainda era possível

> "[...] entre palavras e deuses,
> exercer a preguiça, com vagar".

Chegou o momento de retomar, à guisa de conclusão, o paralelismo com que iniciei esta longa análise. Vistos da perspectiva isenta da história, Gilberto Freyre e Mário de Andrade já não nos parecem solidários, como há tantos anos atrás. Gilberto Freyre, por direito ou por escolha, acabou fixando para a posteridade o perfil de aristocrata do Nordeste. Representa bem a ideologia da sociedade agrária da região, ao construir uma interpretação do Brasil muito brilhante mas conformista, e ao

---

[25] Mário de Andrade, *Poesias completas*, São Paulo, Martins, 1955, pp. 365-71.

adotar, sem reserva, o esquema ocidental de referências, que privilegia o trabalho e interpreta a preguiça como vício. É compreensivo mas não é solidário. Dificilmente encontramos nele um sentimento de frustração diante da sociedade desarmônica que não deseja modificar, da mestiçagem que não diz respeito à sua linhagem e que ele analisa com a lucidez distanciada de um inglês na Índia.

Mário de Andrade, ao contrário, permaneceu o homem urbano do Sul, que sempre foi, avesso aos esquemas prontos e habituado a pôr à prova, de tempos em tempos, as conquistas que vai fazendo. E se também reconhece que derivamos de uma cultura híbrida e em muitos pontos sem identidade, vê nisso um aspecto negativo, responsável em larga medida pela nossa insegurança e incapacidade de decisão. Tem uma extrema acuidade para apreender os traços característicos de nosso feitio, analisando-os de maneira impiedosa, mas sempre repassada de comovida identificação. Embora não seja cientista, mas escritor, desde moço adotou como norma "saber, saber, saber", apostar por princípio e, se preciso, "jogar tudo numa cartada só". Não para ganhar, mas pelo prazer do jogo. A viagem que fez ao Norte do país, pondo à prova a imagem que tinha forjado no Sul, através de leituras, foi uma das muitas apostas que fez e transformou, fundamentalmente, a percepção que, até aquele momento, tivera do Brasil.

Embora de personalidades muito diversas e vistos freqüentemente como antagonistas, Mário de Andrade e Gilberto Freyre representam, num dado momento, duas das posições mais interessantes e fecundas do pensamento nacional. Ambos conviveram desde cedo com a tradição popular e as manifestações de sua terra, e esse enraizamento com o poder revelador da imaginação prestigiou-os sobremodo, junto à juventude de seu tempo. Foi a partir deles que a geração de moços, que entre 1935 e

1940 saía da universidade, ainda não marcada pela especialização, começou a reavaliar o conceito de cultura, de identidade nacional, a discutir com isenção o problema da mestiçagem e os rumos que a arte brasileira devia tomar. As conquistas obtidas eram em geral provisórias e não se apoiavam na segurança racional dos sistemas. Mas, naquele momento de transição entre o sonho das vanguardas e a chegada vitoriosa dos especialistas, delineavam à nossa frente um recorte novo da realidade. Talvez uma *invenção da realidade*, como de tempos em tempos a arte efetua, para renovar o sentimento da divindade, do homem ou, mais humildemente, da paisagem.

II.

Macedo, Alencar, Machado e as roupas

O breve comentário que segue tem por objetivo expor, através de alguns exemplos, como reagiram em face da vestimenta de seus personagens três dos mais significativos romancistas brasileiros da segunda metade do século XIX: Joaquim Manuel de Macedo, José de Alencar e Machado de Assis. Espero que o confronto auxilie o leitor a penetrar mais intimamente a personalidade de cada um e perceber o caminho que o erotismo teve de percorrer de 1849, data do aparecimento de *Rosa*, a 1890, quando surgiu *Quincas Borba.*

Já no segundo capítulo de *Rosa*, Macedo se apressa a nos informar que para comparecer com sucesso a um baile de gala, no final de 1849 — época em que a narrativa se desenrola —, uma moça elegante e casadoura despendia perto de 184$000. Pelo comentário que então se estabelece entre os personagens do romance, inferimos que o preço era muito alto, embora incluísse a escumilha branca para o vestido; o cetim para o forro do dito; o feitio de Mme. Gudin, com os enfeites, fitas etc.; as luvas de pelica branca de Monsieur Wallenstein; os sapatos de cetim branco do mesmo senhor; o cabeleireiro da casa de Monsieur Silvains; as violetas e cravos Glória de Londres para o *bouquet*; e um *porta-bouquet* novo, porque o antigo se havia quebrado no último baile.

Ao contrário dos romancistas que virão depois, sobretudo Alencar e Machado de Assis, muito hábeis em desentranhar do visível a verdade oculta das coisas, Macedo se limita a transcrever o real com fidelidade, mas sem imaginação. Calcula meticulosamente o montante dos gastos, sublinha a complexidade da tarefa, enumera os acessórios indispensáveis que ela exige e, se necessário, fornece informações suplementares sobre a voga reinante nos penteados: se os cabelos "vinham atados à napolitana ou em bandós"; se "estavam dispostos em crespos, deixando cair vacilante uma chusma de belos cachos de madeixas"; se "ostentavam uma orgulhosa rosa constantino" ou "eram coroados por uma grinalda de margaridas".

A mesma minúcia documentária se reflete na descrição dos vestidos — "de seda cor de rosa, aberto dos dois lados, com enfeites de escumilha e fitas da mesma cor" —; e mais particularmente na descrição dos *corpinhos*, que ora terminam "em bico, com pregas no peito", ora vêm guarnecidos de "cabeção de renda e mangas singelas". O feitio, o tecido, os enfeites, as flores e fitas, os brincos e adereços são mencionados, não por pendor estético do narrador, mas porque constituem sinais eficientes de classe ociosa e desempenham função decisiva na festa.

O enfoque de José de Alencar, bem mais complexo do que a avaliação econômica do bom Doutor Macedinho, também é minucioso e, à primeira vista, pode se assemelhar ao dos cronistas mundanos, que pela altura de 1859 atuavam no Rio de Janeiro. Haja vista o empenho com que sublinha certas funções protocolares da vestimenta feminina de classe dominante, como a de reger o tempo urbano através da substituição disciplinada das *toilettes*: o vestido caseiro, "escuro, afogado e de mangas compridas, com pouca roda, simples colarinho e punhos de linho rebatidos"; o de ir à missa, severo e geralmente de merinó, pois "só se deve penetrar na casa de Deus ocultando a beleza sob a gala triste e grave, que prepara o espírito para o santo recolho"; o de baile, incômodo e suntuoso, obrigando a portadora a submergir no "dilúvio de sedas, rendas e jóias, que compõem o *mundus* da mulher".

São descrições aparentemente frívolas, e no entanto distinguem-se das descrições de Macedo e do comentário que as revistas femininas costumavam dedicar às *partidas*, saraus e bailes da época, pelo acento pessoal e a cálida sensualidade que comunicam. Em vários momentos da obra o romancista explora com maestria a acuidade que tem para lidar com a linguagem das roupas. Vou lembrar dois exemplos.

O primeiro encontra-se em *Lucíola* (1862), perfil inquietante de mulher onde, à semelhança de Proust, Alencar utiliza a oposição das vestimentas para descrever simbolicamente a psicologia da protagonista. A estranha duplicidade de Lúcia, dividida entre a redenção purificadora do amor e "o júbilo satânico do pecado", já vinha sendo comentada no decorrer da narrativa, mas nós só damos conta da extensão do contraste quando o visualizamos nas duas *toilettes*, uma branca e resplandecente, outra vermelha e preta:

> "Fora o acaso ou uma doce inspiração, que arranjara o traje puro e simples que ela trazia? Tudo era branco e resplandecente como a sua fronte serena: por vestes cassas e rendas; por jóias somente pérolas. Nem uma fita, nem um aro dourado, manchava essa nítida e cândida imagem. Creio antes na inspiração. Lúcia tinha no coração o germe da poesia ingênua e delicada das naturezas primitivas, que se revela por um emblema e por uma alegoria. Ela me dizia no seu traje, o que nunca se animaria a dizer-me em palavras, que estava tão pura como eu a tinha deixado, do contato de outro homem." (cap. XIV)

A esta visão silenciosa de entrega despojada e sem mácula, irá se contrapor, poucas páginas antes, a imagem perversa, refletida no espelho, atravessada, como o Don Juan de Foucault, pela "sombre folie du sexe":

> "Lúcia [...] chegou-se ao espelho para dar os últimos toques ao seu traje, que se compunha de um vestido escarlate com largos folhos de renda preta, bastante decotado para deixar ver as suas belas espáduas, de um filó alvo e transparente que flutuava-lhe pelo seio cingindo o colo, e de uma profusão de brilhantes magníficos capaz de tentar Eva, se ela tivesse resistido ao fruto proibido." (cap. XIII)

Como vemos, tudo se transformou: o branco resplandecente das cassas e rendas foi substituído pelo acorde baudelaireano vermelho-e-negro; o despojamento intencional ("nem uma fita, nem um aro"), simétrico à confissão silenciosa de pureza, cedeu lugar à exibição desenvolta do artifício e aos indícios de vaidade (o espelho), licenciosidade (o decote, a transparência do filó) e amor venal (a profusão de brilhantes magníficos).

O exemplo seguinte, retirado de *Senhora* (1875), é mais sinuoso. Num primeiro nível, temos apenas a descrição da protagonista, surpreendida no desalinho matinal; mas a leitura atenta demonstra que um sentido encoberto se insinua aos poucos entre as palavras, como se o narrador fosse cedendo, descuidado, a um teste projetivo. Leiam a passagem curiosíssima, procurando desentranhar dela a simbiose que reduz corpo e vestimenta a uma realidade única, palpitante:

> "Trazia Aurélia uma túnica de cetim verde, colhida à cintura por um cordão de torçal de ouro, cujas borlas tremiam [...] Pelos golpeados deste simples roupão borbulhavam os frocos de transparente cambraia, que envolviam as formas sedutoras da jovem mulher.

> As mangas amplas e esvasadas eram apanhadas, na covinha do braço e sobre a espádua, por um broche onde também prendia a ombreira, mostrando o braço mimoso, cuja tez roseava a camisa de cambraia abotoada no punho por uma pérola.
>
> Os lindos cabelos negros refluíam-lhe pelos ombros presos apenas com o arco de ouro, que cingia-lhe a opulenta madeixa; o pé escondia-se em um pantufo de cetim que às vezes beliscava a orla da anágua." (cap. XIII)

Um ritmo caprichoso de abandono e reserva, oferta e recato, perpassa em toda a descrição; pois se o cordão de torçal dourado *colhe* a fazenda na cintura, parecendo compor a veste e sugerir um gesto de pudor, as bordas do mesmo *estremecem* como que emocionadas, revelando que a proximidade é perigosa. O mesmo acontece com o jogo dos tecidos, quando a espessura nobre do cetim se alterna com a leveza da cambraia, para recobrir e desnudar "as formas sedutoras da jovem mulher"; ou com a amplidão do abrigo, que é tanto impedimento como insinuação, na medida em que, nas mangas e no corpo, se apresenta *esvasado*, *golpeado*, permitindo entrever pelas fendas, ora o braço, ora a transparência de uma roupa íntima. — E que dizer da escolha dos verbos, indicando que os frocos de cambraia *borbulhavam* pelos intervalos da fazenda; a tez do braço *roseava* a camisa de cambraia; os cabelos negros *refluíam-lhe* pelos ombros; o pé *beliscava* a orla da anágua, senão que a sua escolha cuidadosa visou a criar junto ao corpo uma zona intensamente erotizada, que o sisudo Conselheiro do Império — conscientemente ou não — percorre embevecido?[1]

---

[1] Cabe aqui uma observação. Há muito tempo a crítica vem sublinhando

Na obra de Machado de Assis não encontramos nada que se assemelhe a este transporte camuflado. Como se verá logo mais, ele demonstra pouco interesse pela vestimenta das senhoras, detendo-se de preferência na vestimenta dos cavalheiros. Não chega ao extremo de afirmar, como Baudelaire, que a roupa masculina se reveste de "uma beleza política, expressão da igualdade universal, e ainda de uma beleza poética, expressão da alma pública"; mas concede que na caracterização do homem o vestuário vale mais que as feições.

Esta idéia, desenvolvida em dois contos, "O espelho" (1882) e "Capítulo dos chapéus" (1883), surge inicialmente como digressão teórica e em seguida como ilustração dramatizada; e reaparece, de certo modo, em três momentos da obra romanesca,

---

a componente sexual que, com freqüência, acompanha as manifestações da vestimenta. Émile Zola analisou o problema com brilho em *Au bonheur des dames*, sobretudo ao focalizar a atmosfera compulsiva das *vendas especiais*, quando uma avalanche de mulheres invade o *grand magasin*. Atraídas pela variedade infinita das ofertas elas examinam tudo, apalpam tudo febrilmente, para — segundo o comentário opulento e adjetivado do grande romancista — "no fim do dia voltarem para casa semidesfeitas, com a volúpia saciada, e a vergonha inconfessável de quem havia aplacado um impulso secreto, no fundo sombrio de um hotel equívoco". Em livro relativamente recente, *Les dessus et les dessous de la bourgeoisie* (1981), Philippe Pérrot retoma o comentário de Zola, para completá-lo. Acrescenta que a patogenia engendrada pelo *grand magasin* era bem mais geral do que se supunha; pois segundo o testemunho do chefe de polícia de Paris naquele momento, também atingia a freqüência masculina, como atestavam as inúmeras ocorrências registradas. Contaminado pela atmosfera do estabelecimento, o comportamento dos homens refletia um tipo particular de neurose, de intensidade desigual, cuja manifestação mais branda era a tão conhecida *mão-boba* ou *mão-de-defunto*. Seria ousadia demais relacionar as descrições exaltadas de Alencar a uma manifestação inocente deste desvio?

caracterizando a ascensão e decadência de Quincas Borba. Vejamos de maneira resumida como Machado de Assis a expõe.

Cada criatura humana não conta com uma alma apenas, mas com duas: "Uma que olha de dentro para fora, outra que olha de fora para dentro" e constitui a alma exterior. As duas almas, igualmente necessárias, completam o homem; mas é a exterior que estabelece a relação do indivíduo com o mundo, os valores, a opinião e, de certo modo, institui a identidade. Embora exerça uma função fundamental, a alma exterior — que pode ser tanto energética e exclusiva como instável e volúvel — manifesta-se através de aparências variadas, às vezes insignificantes como um fluido, um espírito, a polca, o voltarete, uma cavatina, um tambor, fixando-se de preferência na vestimenta masculina, completa ou parcelada. Isto é, tanto na simplicidade de um uniforme, quanto em pequenos detalhes da *toilette*. Em "O espelho" a alma exterior de Jacobina é uma farda recente de alferes da Guarda Nacional, que rende ao rapaz de 25 anos carinhos, atenções e rapapés, dos quais vê-se privado de repente. A alma exterior de Conrado, em "Capítulo dos chapéus", é um chapéu simples, que ele usa na vizinhança e para ir ao escritório e que Mariana deseja substituir por outro, mais convencional. Conrado não quer ceder ao capricho da mulher e argumenta que a escolha de um chapéu não é uma ação indiferente, mas "obedece a um determinismo obscuro", um princípio metafísico. "O chapéu — diz ele — é a integração do homem, um prolongamento da cabeça, um complemento decretado *ab eterno*, ninguém o pode trocar sem mutilação."

Nas duas narrativas o entrecho é complexo, cheio de implicações e achados estilísticos, mas para o objetivo desta análise pode ser reduzido ao embate das almas. Em "O espelho", depois das duas almas — a interior e a exterior — terem se equilibrado durante alguns dias, a primeira acaba cedendo e o "alferes elimina o homem". Em "Capítulo dos chapéus" a luta se trava entre duas almas, ambas exteriores: a que Conrado escolhera para si, obedecendo a um determinismo obscuro, e a que a mulher lhe quer atribuir a todo o custo. Melhor dizendo a luta se trava entre dois chapéus, "um simples chapéu, leve, não deselegante, um chapéu baixo", e o chapéu "alto, preto, grave, presidencial", que Mariana sonha ver um dia na cabeça do marido.

A trama das narrativas depende desse vínculo que une sujeito e vestimenta, recurso de caracterização que Machado retoma na obra romanesca. Quando descreve a trajetória dramática de Quincas Borba — em dois episódios das *Memórias póstumas* (1881) e num pequeno trecho, no início do romance do mesmo nome — chega a deslocar para segundo plano os indícios definidores da personalidade do protagonista: traços fisionômicos, expressão do rosto, voz, gesticulação — para se deter, sobretudo, na roupa. Vejamos como Brás Cubas narra nas *Memórias póstumas* o primeiro encontro com o antigo companheiro de mocidade, reconhecido a custo no mendigo que o aborda no Passeio Público. O trecho é longo mas vale a pena transcrevê-lo:

> "Imaginem um homem de trinta e oito a quarenta anos, alto, magro e pálido. As roupas, salvo o feitio, pareciam ter escapado ao cativeiro de Babilônia; o chapéu era contemporâneo do de Gessler. Imaginem agora uma sobrecasaca, mais larga do que pediam as carnes —, ou, literalmente, os ossos da pessoa; a cor preta ia cedendo o passo a um amarelo sem brilho; o pêlo desaparecia aos poucos; dos oito primitivos botões restavam três. As calças, de brim pardo, tinham duas fortes joelheiras, enquanto as bainhas eram roídas pelo tacão de um botim sem misericórdia nem graxa. Ao pescoço flutuavam as pontas de uma gravata de duas cores, ambas desmaiadas, apertando um colarinho de oito dias. Creio que trazia

> também colete, um colete de seda escura, roto a espaços, e desabotoado." (cap. LIX)

Como se vê, a referência ao físico do personagem é vaga e contrasta com a minúcia dedicada à indumentária. No longo trecho apenas a primeira frase diz respeito ao sujeito propriamente, definido pela idade aproximada e como sendo "alto, magro e pálido". As marcas de infortúnio e decadência que transformaram o menino rico no indigente dormindo ao relento foram todas transferidas para a roupa, sovada, suja, sem botões.

Na segunda descrição, ainda nas *Memórias póstumas*, Quincas Borba reaparece bem vestido e bem tratado, já na posse da herança do velho tio de Barbacena. O narrador afirma que não vai nos contar o que se passou nesse intervalo de tempo, nem descrever-nos a sua aparência atual, o que, paradoxalmente, passa a fazer:

> "... E se não conto a história, dispenso-me outrossim de descrever-lhe a figura, aliás mui diversa da que me apareceu no Passeio Público. Calo-me; digo somente que se o principal característico do homem não são as feições, mas o vestuário, ele não era o Quincas Borba; era um desembargador sem beca, um general sem farda, um negociante sem *deficit*. Notei-lhe a perfeição da sobrecasaca, a alvura da camisa, o asseio das botas. A mesma voz, roufenha outrora, parecia restituída à primitiva sonoridade. Quanto à gesticulação, sem que houvesse perdido a viveza de outro tempo, não tinha já a desordem, sujeitava-se a um certo método. Mas eu não quero descrevê-lo. Se falasse, por exemplo, no botão de ouro que trazia ao peito, e na qualidade do couro das botas, iniciaria uma descrição que omito por brevidade. Contentem-se de saber que as botas eram de verniz." (cap. CIX)

O trecho é enviesado mas na verdade representa a glosa de um mote, que embora proposto entre negativas, deve ser lido como afirmação: "o principal característico do homem não são as feições, mas o vestuário". Com efeito, prestando atenção verificamos que o perfil de Quincas Borba é traçado sobretudo a partir da vestimenta. Há uma referência rápida à voz, agora mais límpida e agradável, à gesticulação, menos desordenada que no Passeio Público, mas a avaliação final, que o identifica às pessoas gradas da sociedade — o desembargador, o general à paisana, o comerciante próspero — deriva de pequenos detalhes da elegância, só acessíveis a alguns eleitos. Como o corte perfeito da sobrecasaca, a alvura da camisa, a qualidade do couro das botas, o botão de ouro que trazia ao peito.

A terceira passagem que destacarei é do início de *Quincas Borba* (1891) e fixa o momento em que este, já muito doente, olha-se no espelho e aceita que vai morrer. Rubião, que assiste o amigo, tenta distraí-lo e pergunta o que deseja comer ao jantar; em seguida, vendo-o sentado na cama, indiferente e procurando as chinelas com os pés, ajuda-o a calçá-las. Quer de alguma forma oferecer um pouco de carinho, de calor humano, ao pobre doente. Mas vejamos o que diz o trechinho revelador:

> "Rubião quis que se agasalhasse, e trouxe-lhe um fraque, um colete, um chambre, um capote, à escolha. Quincas Borba recusou-se com um gesto. Tinha outro ar agora; os olhos metidos para dentro viam pensar o cérebro." (cap. V)

Em primeiro lugar, o que chama a atenção é que se ofereça a um homem gravemente doente e de chinelas, já desligado do mundo, um elenco tão heteróclito de peças de roupas. E qual o sentido da última frase?

São muitas as coisas que Machado de Assis está dizendo nesta passagem. É preciso não esquecer que, nas citações anteriores, o perfil do personagem fora traçado sempre a partir da indumentária. A relação não era estabelecida apenas pelo romancista e podia ser expressa pelo comportamento de Quincas Borba, como acontece no cap. LX das *Memórias póstumas.* Antes de se despedir de Brás Cubas, dar-lhe o abraço e roubar-lhe o relógio, ele dá a volta em torno do narrador, examina-o com atenção, gaba-lhe a roupa fina, e compara os sapatos dos dois. Apesar de mergulhado na "miséria indigna" que repugna ao romancista, ainda tem olhos para a vida e forças para admirar e ter inveja. Talvez ainda haja tempo para conquistar uma alma exterior como a que divisa no amigo.

Mas agora, "descobria os subúrbios da morte, para onde caminhava a passo lento, mas seguro", e já não via sentido nas insígnias que cobiçara em vida. Diríamos, pastichando Machado, que a alma exterior, projetada na vestidura — colete, fraque, chambre, capote — se dispersara no ar, só restando a Quincas Borba aquela parte profunda do ser, que retivera o exercício da humanidade. É o que testemunham, com extraordinário senso de economia, as poucas linhas citadas.

Quando medita sobre a vestimenta feminina, Machado de Assis não retoma os argumentos utilizados no *esboço de uma nova teoria da alma humana*, na *metafísica do chapéu*, ou na exposição da trajetória de Quincas Borba. Muda bruscamente de enfoque, como se a análise anterior fosse inadequada para decifrar um mecanismo... não diria mais complexo, mas certamente mais fugidio, que não pressupõe a existência de almas e sim de corpos.

Pois a seu ver, a tarefa que cabe à vestimenta das mulheres é acelerar o impulso erótico, exacerbá-lo através do negaceio constante entre o empecilho da roupa e o desvendamento da nudez. — "A natureza previu a vestidura humana, condição necessária ao desenvolvimento da nossa espécie", comenta ele por intermédio de Brás Cubas, no cap. XCVIII das *Memórias*. "A nudez habitual, dada a multiplicação das obras e dos cuidados do indivíduo, tenderia a embotar os sentidos e a retardar os sexos, ao passo que o vestuário, negaceando a natureza, aguça e atrai as vontades, ativa-as, reprodu-las, e conseguintemente faz andar a civilização."

Estas verdades foram reveladas a Brás Cubas no camarote do Damasceno, enquanto contemplava perturbado o joelho redondo de Nhá-loló, coberto castamente pelo vestido. Toda a meditação machadiana sobre a roupa feminina deriva, de certo modo, desta impressão de choque. Ao contrário de Alencar, que transfere a libido para a vestimenta, Machado enfrenta o problema sem subterfúgios. A não ser o "soberbo vestido de gorgorão azul" que no baile de 1855 Virgília arrasta pela escada abaixo, com o que resta de sua fogosa mocidade, nenhum outro permanece intacto, suspenso no ar, imantando a narrativa. As descrições do romancista são em geral discretas, informando-nos apenas do essencial: que o vestido era "azul", de "cambraia", "de chita meio desbotado", "de lã fina cor de castanha". Todavia, mesmo prestando pouca atenção à roupa, jamais esquece que a sua função básica é destacar o encanto da dona, acrescentando que "o corpinho de amazona apertava um corpo de fada"; que embora cobrisse todo o colo, "adivinhava-se por baixo da seda um belo tronco de mármore modelado por um escultor divino"; que "sublinhava gentilmente a gentileza do busto, o estreito da cintura e o relevo delicado das cadeiras". Sabe, como poucos, apreender as oscilações semânticas, as indeterminações de sentido, que animam com tanta poesia a relação entre o corpo e a roupa: "O vestido nem cobria, nem descobria inteiramente [...] os braços meio vestidos de escumilha ou não sei quê [...]"; ou o efeito de luz e sombra a que acrescenta uma branda ondulação sonora: "O vestido de seda escura dava singular destaque à cor imensamente branca de sua pele. Era roçagante o vestido, o que lhe aumentava a majestade do porte".

Enfim: Machado jamais se limita à descrição da roupa, preferindo deter-se no que ela sublinha, destaca, deixa adivinhar; no que se vê de perto, no espaço vertiginoso da intimidade. E por isso os seus personagens femininos — como a admirável Sofia Palha — são sempre melhores em casa que no trem de ferro. Mas deixemos que o próprio escritor descreva, em *Quincas Borba*, a distância que vai dos olhos baixos, que em público são mantidos de rédea curta, aos olhos derramados e aos gestos espontâneos que imperam no ambiente doméstico:

> "Sofia era, em casa, muito melhor que no trem de ferro. Lá vestia a capa, embora tivesse os olhos descobertos; cá trazia à vista os olhos e o corpo, elegantemente apertado em um vestido de cambraia, mostrando as mãos, que eram bonitas, e um princípio de braço. Demais, aqui era a dona da casa, falava mais, desfazia-se em obséquios; Rubião desceu meio tonto." (cap. XXIV)

Talvez derive dessa acuidade de entender o temperamento feminino, inseguro e sinuoso, a preferência de Machado pelos espaços menores: a intimidade acolhedora dos saraus familiares; o quarto em que Bentinho penteia Capitu menina e lhe dá o primeiro beijo; o quintal da infância permeado de juras; a casinha dos encontros secretos na Gamboa; a carruagem flaubertiana onde, já demente, Rubião se declara a Sofia. Espaços propícios ao abrandamento da censura, que repontam sempre conjugados ao despojamento dos artifícios.

A mulher machadiana é de fato mais perturbadora se está desataviada: vestida de preto e sem enfeites, com "o talhe esbelto, elevado e flexível" posto em relevo (Estela em *Iaiá Garcia*); ou quando "rejeita de si toda a sorte de ornatos, nem folhos, nem brincos, nem anéis", e deixa "entrever a vaidade da beleza que quer afirmar-se tal qual é, sem nenhum outro artifício" (Eugênia, nas *Memórias póstumas*).

Um exemplo eloqüente deste ideal feminino, creio que é o belo retrato de Eugênia:

> "Eugênia desataviou-se nesse dia por minha causa. Creio que foi por minha causa —, se é que não andava muita vez assim. Nem as bichas de ouro, que trazia na véspera, lhe pendiam agora das orelhas, duas orelhas finamente recortadas numa cabeça de ninfa. Um simples vestido branco, de cassa, sem enfeites, tendo ao colo, em vez de broche, um botão de madrepérola, e outro botão nos punhos, fechando as mangas, e nem sombra de pulseira.
>
> Era isso no corpo, não era outra coisa no espírito. Idéias claras, maneiras chãs, certa graça natural, um ar de senhora, e não sei se alguma outra coisa, sim, a boca exatamente a da mãe, a qual me lembrava o episódio de 1814, e então dava-me ímpetos de glosar o mesmo mote à filha [...]." (cap. XXXII)

Desde um livro da primeira fase, como *Iaiá Garcia*, até a obra-prima do apogeu, que são as *Memórias póstumas de Brás Cubas*, surpreendemos na mulher machadiana a mesma simbiose entre o corpo e a roupa, já apontada em Alencar, no início desta exposição; mas se em Alencar o recurso visava fundir os dois aspectos numa realidade insólita, em Machado era apenas um pretexto para, a partir do amálgama provisório, ir descartando aos poucos o *inútil excessivo*, até reencontrar, des-cobrir a verdade originária. O *despojamento* é sempre o traço definidor do ritual amoroso, que pode ocorrer em duas versões: assumido pela mulher, como oferta simbólica, e pelo homem, como momento preliminar da iniciação.

As passagens há pouco citadas representam a primeira versão, quando a iniciativa de simplicidade é atribuída à mulher, que para se tornar mais bela aos olhos de quem ama *rejeita de si toda a sorte de ornatos* — nem folhos, nem brincos, nem anéis, nem pulseira, nem broche, nem as bichas de ouro — para, sem artifício, oferecer-se ao eleito na nitidez perfeita do branco ou do preto. Chamo a atenção para a maestria com que Machado de Assis evita a tonalidade rósea que ameaçava invadir o quadro, incidindo nele um travo de volúpia; destacando sobre o fundo singelo da vestimenta, das maneiras chãs, do ar de senhora, "duas orelhas finamente recortadas" e "a boca, exatamente a boca da mãe". Associação que faz Brás Cubas evocar o episódio pecaminoso da moita, e o leitor atento, a boca de Virgília, "fresca como a madrugada e insaciável como a morte".

A segunda versão do ritual amoroso — esta, oficiada pelo parceiro masculino — poderia ser exemplificada pela descrita no início do cap. LXIV. Prevendo que o episódio com Virgília está chegando ao fim, Brás Cubas, "sucessivamente desesperado e frio", perde-se num devaneio. Imagina a amante no teatro, reclinada no camarote e fascinando todos com "o vestido soberbo [...] o colo de leite, os cabelos postos em bandós, à maneira do tempo, e os brilhantes, menos luzidios que os olhos dela [...]". A visão de Virgília, oferecendo-se indiscriminadamente ao olhar de todos, perturba-o de maneira dolorosa e para retê-la só para si — ou melhor, devolvê-la à vida — começa a desembaraçá-la amorosamente dos enfeites:

> "Via-a assim, e doía-me que a vissem outros. Depois, começava a despi-la, a pôr de lado as jóias e sedas, a despenteá-la com as minhas mãos sôfregas e lascivas, a torná-la —, não sei se mais bela, se mais natural —, a torná-la minha, somente minha, unicamente minha."

A postura cautelosa desapareceu e Machado se dispôs afinal a converter o belo traço expressivo em torno do qual cristalizara a sua meditação — isto é, o despojamento das vestes femininas — naquilo que de fato ele sempre fora: a metáfora da posse amorosa.

A análise que Machado de Assis faz da vestimenta feminina, centrada sobre o jogo erótico e, por conseguinte, desvinculada da função identificadora que conferiu à roupa masculina, talvez pareça machista para a sensibilidade de hoje, mas no contexto da sociedade do Segundo Reinado representa uma percepção esclarecida da mulher brasileira: ainda submissa, embora sequiosa de correspondência afetiva.

Resumindo em outras palavras: a atitude que analisei em Macedo reflete a opinião dominante da burguesia média, para a qual o casamento era uma transação econômica, igual às demais; o ponto de vista de Alencar, bem mais complexo, se assemelha em parte à neurose que, a partir de meados do século, derivou, na Europa como no Brasil, do processo de urbanização, do convívio mais intenso com a mulher e das novas formas de sedução divulgadas pela alta costura e as grandes lojas de departamento (*grands magasins*).

Machado de Assis, como sempre, encarou o problema de maneira muito mais sutil e elaborada. Verificou, desde o início, que era preciso distinguir a função diversa que a vestimenta desempenhava para o grupo masculino e o grupo feminino. No primeiro caso ela cumpria sobretudo um papel civil, definidor de *status* e instaurador de uma identidade fictícia, mas pacificadora; no segundo, era o auxiliar eficiente do jogo erótico, num momento social instável, ambíguo, de conquistas recentes e aspirações sufocadas. Nos dois casos, a meditação sobre a vestimenta foi a máscara oportuna que utilizou para, bem protegido, lançar farpas contra a sociedade arrivista, puritana e insatisfeita. Os seus romances, sob a forma inicial de folhetins, penetraram tranqüilamente na intimidade das famílias, foram lidos com admiração e respeito pelas senhoras do Segundo Reinado e, sem alarde, ajudaram a transformar os hábitos afetivos da época.

Mas a crítica daquele tempo, freqüentemente viciada pelas asperezas do Naturalismo, nem sempre entendeu o aspecto inovador da abordagem de Machado de Assis. Por isso errou ao tomá-la como incapacidade de criar uma psicologia feminina que seria a verossímil, expressa em cenas cujo erotismo convencesse por ser violentamente óbvio. Foi o caso quase grotesco de Araripe Júnior num artigo de 1892 sobre *Quincas Borba*, onde, depois de definir Machado como "asceta dos livros", "homem retraído ao gabinete", "criador de heroínas incolores", fulminou-o com um juízo de superior condescendência, encharcado nos preconceitos literários do momento: "Falta-lhe afoiteza para cheirar o pescoço de Messalina; ferocidade para dilacerar amantes a dentadas, como o poeta Bilac; desprezo à vida para arrostar os perigos dos amores de Cleópatra".

Ele queria com certeza uma injeção de Aluísio Azevedo ou Júlio Ribeiro nos textos requintados de Machado, para enquadrá-los na banalidade da moda. Assim ficariam mais acessíveis aos leitores do tempo, como o olhar de contador de Macedo ou a cupidez dissimulada de Alencar tinham sido para a geração de seus pais. Difícil para a visão naturalista era aceitar a naturalidade com que Machado de Assis iniciava entre nós o discernimento misterioso e no entanto equilibrado do erotismo.

As migalhas e as estrelas

Há três anos Zulmira Ribeiro Tavares estreava no romance com *O nome do bispo* (1985). A parte inicial do livro era admirável e nos introduzia com rara segurança na situação central, em que um homem sozinho, com uma fissura no ânus, internava-se para uma operação sem gravidade. A primeira noite de espera descrevia o ritual minucioso da acomodação ao quarto, a retirada da mala dos objetos de toalete e das peças de roupa, o desfile dos enfermeiros já empenhados nos preparativos da cirurgia que, cortando ritmicamente a descrição seca, faziam a pergunta insistente e obtinham a resposta invariável — "Está sozinho, sem acompanhantes?" — "Sem acompanhantes".

No quarto ao lado, há um homem morrendo. A narrativa não estabelecia nenhuma ligação entre este fato e a instalação do novo paciente no cômodo contíguo, mas a vizinhança da morte insinuava a dúvida no espírito do leitor: — a intervenção cirúrgica seria, efetivamente, sem importância? Uma série de sinais pontuava a narrativa indicando a desarmonia, a contradição do personagem, pois se a lesão instalada na parte mais vulgar do corpo assinalava a situação humilhante do presente, o nome ilustre compartilhado com o bispo evocava a grandeza extinta do passado. A autora manobrava com talento perverso o contraponto dos tempos, sugerindo a identificação do destino apagado do protagonista com o da estirpe, e aos poucos tínhamos pela frente não apenas um homem qualquer com a sua tibiez e banalidade, mas uma família decadente, a franja dos parentes pobres, a evidência incômoda da mestiçagem, a amargura e mesmo o rancor. Quando percebíamos já estávamos presos na teia obsessiva a que a nossa tradição romanesca nos habituara; mas agora, golpeados por um estilo mordaz, impiedoso.

O mandril traz Zulmira de volta. O livro atual — série de textos variados, contos breves, poemas e poemas em prosa — retoma a postura sem complacência, a linguagem ácida e corrosiva que em *O nome do bispo* já mordia o tecido da escrita como um azinhavre. Os textos de agora medem às vezes meia página, e no espaço econômico, onde há pouco compromisso com o enredo, a autora está à vontade, tendo aperfeiçoado a maneira tão pessoal de garimpar, que consiste em ciscar na bateia sobretudo o cascalho, o restolho sem uso das coisas: "os canteiros ralos", "o matinho reles", "o solzinho de inverno, sabujo", "a réstia de luz"; "as sobras do dia", "as dores de cotovelo", "os ódios não realizados", "o ácido do sofrimento". O "habitante do país vizinho ao vídeo", que ela descreve, por exemplo, "não quer excedente em cores, quer as marcas pobres e perigosas das pedras limosas, a descida escura em parafuso, o amarelo frouxo do desespero, o verde escuso dos degraus perigosamente inclinando-se". A miniaturização, o aviltamento sistemático abrange tudo, coisas, gestos, sentimentos, pois estes, em vez de desabrocharem generosos e vulneráveis, fecham-se sobre si, não se permitindo "nenhuma testa franzida, nenhum susto". O próprio amor não é um dom arrebatado, mas "um treino suave" que, "incapaz de deixar manchas, depressões violáceas — apenas produz doce essência e logo se volatiliza". No fragmento "Os olhos secos" Zulmira deixa transparecer com amargura comovida que não é por bravata ou conquista que o amor já não faz chorar, mas por defesa. "Não chora mais. Só pisca muito, miudinho, como se dispusesse do que vê, assim, aos poucos. [...] Não chora mais. Tem os olhos secos não por escolha. Pela fina poeira no ar que se depositando aos poucos vem enxugar-lhe a visão de forma definitiva; como o faria um antigo mata-borrão de areia diante de uma escrita, líquida e incerta."

Creio que é por reação semelhante que evita apegar-se à beleza, ao fascínio do real, às pedrinhas preciosas que ocasionalmente lampejam na aridez do cascalho. Na verdade, teme entregar-se "ao vento que sopra do morro e entra no aposento", ao "limpo rumorejar das folhas". Sente-se mais resguardada à espreita das catástrofes que podem ocorrer de um momento para o outro, vigiando a decadência das famílias, a alteração dos cheiros que circulam pelos cômodos: "Pois, quando se baixa de nível, os cheiros sobem e soltam-se pela casa, as coisas cheiram por conta própria, não há mais tempo e gente suficiente para domesticar os cheiros, apagá-los, substituí-los". E não faz isso por miserabilismo ou perversão, mas por lucidez e um laivo de sarcasmo de quem sabe que o mundo não é um jogo disciplinado de oposições, mas um tecido contraditório de equivalências. No belo texto "Os moradores do 104 e os seus criados" manifesta, com uma coragem digna de Buñuel, o mesmo pessimismo em relação tanto a senhores como a servos: ambos dormem alertas e acordam moídos de cansaço, os patrões porque pensam nos cofres vazios e nas decisões proteladas, os criados "por terem passado as horas de sono amassando sem trégua e depois cozinhando no próprio hálito, os seus sonhos, os seus sonhos de raiva".

A idéia de que os opostos não são irreconciliáveis, irredutíveis, mas ligados por uma secreta analogia — e por isso podem ser convertidos —, atravessa toda a relação sarcástica que Zulmira mantém com a linguagem, explicando em parte o uso que costuma fazer do belo e do feio, do raro e do desprezível. Para ela, como no conto maravilhoso, esses domínios não são exclusivos, e é possível passar livremente de um a outro — a *fera* se transformando em *príncipe* ("O mandril"), as sobras do dia em *estrelas* ("Lixeiras afáveis"). Gosto de ler com esse espírito o pequeno trecho da página 18, "Lixeiras afáveis", imaginando que a intenção secreta de Zulmira foi oferecer nele a definição graciosa e irônica de sua própria Arte Poética, desentranhada "dos restos de que são feitos os sonhos e das migalhas que se soltam da toalha agitada diante da janela e vão tomar parte na noite misturadas às estrelas".

Lasar Segall e o modernismo paulista

Na introdução deste trabalho[1] Vera d'Horta Beccari declara que seu objetivo principal foi delinear o retrato do pintor Lasar Segall através do testemunho dos contemporâneos. Este objetivo, como veremos, foi largamente ultrapassado. Ou melhor, a pesquisa que ela realizou com dedicação, modéstia e notável fidelidade ao seu temperamento sensível e escrupuloso não é linear, mas se desdobra em vários níveis. Pois, mais que o retrato de uma grande personalidade e o esboço de sua evolução, é a análise de alguns aspectos da influência que exerceu no meio ainda artisticamente pobre de São Paulo, nos decênios de vinte a quarenta. Estamos, portanto, diante de uma contribuição importante para compreender o período, destinada a juntar-se, sem desmerecimento, à conhecida monografia de Aracy Amaral, *Tarsila: sua obra e seu tempo*, e aos estudos de Marta Rossetti sobre Anita Malfatti, de Lisbeth Rebolo Gonçalves sobre Aldo Bonadei e Annateresa Fabris sobre Portinari.[2] Através destas análises par-

---

[1] Publicado originalmente em Vera d'Horta Beccari, *Lasar Segall e o modernismo paulista*, São Paulo, Brasiliense, 1984.

[2] Aracy Amaral, *Tarsila: sua obra e seu tempo*, São Paulo, Editora 34, 3ª ed. 2003 (1ª ed., São Paulo, Edusp/Perspectiva, 1975); Marta Rossetti Batista, *Anita*

ciais — não esquecendo, evidentemente, o livro pioneiro, indispensável, de Mário da Silva Brito sobre o Modernismo — já é possível fazer um levantamento seguro da evolução das artes plásticas num dos períodos mais fecundos da história da arte e do pensamento artístico no Brasil.

1.

Mas aceitemos, provisoriamente, que o presente trabalho seja, como a autora propõe, o esboço de uma personalidade. Personalidade que ela define como conflitante, contraditória, do ponto de vista psicológico e estilístico. Vejamos com que argumentos.

Em primeiro lugar, Lasar Segall é um homem culturalmente marginal, inclusive porque é de cidadania indecisa: lituano (ou russo de Vilna), viu em 1915 seu país passar da Rússia ao domínio alemão e em 1918 presenciou sua independência, para em 1940, com a Segunda Grande Guerra, tornar a vê-lo reincorporado à União Soviética. Em seguida, emigra muito jovem de sua terra, mas durante todo o período de formação na Alemanha será um báltico. A partir de 1923, quando se fixa definitivamente em São Paulo, é um europeu no Brasil. E como jamais esquecerá suas origens religiosas, conforme demonstra o belo episódio narrado por Geraldo Ferraz, continua sendo sempre, onde quer que se encontre, acima de tudo, judeu.

Ora, também como judeu Lasar Segall é um homem dividido, dilacerado: preso de um lado à ortodoxia rígida da sinagoga,

---

Malfatti no tempo e no espaço, São Paulo, Edusp/Editora 34 (no prelo); Lisbeth Rebolo Gonçalves, *Aldo Bonadei: o percurso de um pintor*, São Paulo, Perspectiva, 1990; Annateresa Fabris, *Candido Portinari*, São Paulo, Edusp, 1996.

de outro sente-se transportado pelos relatos fantasiosos dos chassidim. "Parece" — diz Erhard Frommhold, em quem a autora se apóia — "que o jovem Lasar Segall foi atingido no íntimo por essas duas idéias religiosas: pela fidelidade literal à Torá e pelo exaltado e ingênuo sentimento dos chassidim".

2.

Esta tensão que define sua psicologia é, segundo Vera d' Horta Beccari, reencontrada em sua arte. Isto não quer dizer que a maneira muito pessoal do pintor denote qualquer indecisão estilística, mas que representa uma síntese peculiar, de tendências aparentemente conflitantes.

Na verdade, não é um expressionista típico, como são em geral os componentes dos grupos alemães de vanguarda com que manteve contacto estreito: os grupos *A Ponte*, *O Cavaleiro Azul* ou *A Nova Objetividade*. É possível que do Expressionismo tenha sofrido o impacto teórico mais profundamente que o pictural, como talvez ficasse esclarecido por uma análise minuciosa de seus escritos estéticos, recolhidos em apêndice. A autora se refere à influência de W. Wörringer, cujas idéias principais transparecem claramente na conferência proferida em 1924 na Villa Kyrial, e lembra como Segall reconhecia abertamente a influência teórica de Kandinsky que, a seu ver, era superior à de sua produção artística. Aliás, seria interessante acrescentar que ele define o novo impulso expressionista — que já sentia vivo e fermentando nele, antes mesmo do encontro com o Expressionismo — de maneira muito próxima a Kandinsky; como "uma forma de expressão que obedece unicamente à minha voz pessoal e fosse capaz de expressar, até os seus limites mais recônditos, as dores e alegrias de meu mundo interior". (Em *Do espiritual na arte*,

Kandinsky declara que a pintura devia renunciar às formas convencionais do belo — realismo — para exprimir a essência interior; e que a beleza seria o equilíbrio entre a necessidade interna e a significação expressiva.)

Como os expressionistas, Lasar Segall professa o culto de Gauguin e Van Gogh, mas não compartilha com eles o gosto pelas tonalidades violentas, pelas combinações estridentes. Também não encontramos em seus quadros o grafismo brutal de alguns dos seus contemporâneos, nem a atração do insólito e do perverso, ou, na crítica social, o grotesco. Passado o período europeu, em que a pregação teórica ambiente ainda repercute em suas telas, o temperamento manso do pintor se acomoda nas cores baixas e nuançadas, expressando-se num cromatismo requintado.

Do mesmo modo, não sofrerá, como os seguidores de Kandinsky, a atração do abstrato. Isto é, a imposição do sentido interno, imanente, das formas não abafa nunca o sentimento do mundo exterior. Quanto a isto, não se deve dar muito relevo aos curiosos exercícios semi-abstratos referidos por Geraldo Ferraz, a que se entregou no fim da vida, quando joga alegremente com o ritmo dos troncos das árvores, em Campos do Jordão. Mais do que um abandono progressivo do figurativo, representam uma pausa em sua preocupação com o homem, livre ou degradado — preocupação que domina os retratos íntimos e profundos, a galeria infindável dos proscritos, as suas versões pungentes e pessoais dos "desastres da guerra". Sem esquecer o avesso de tudo isto — os temas simples, herdados da sabedoria popular, que celebram a esperança de uma felicidade bucólica, exercida na limpidez do campo, junto à paz dos bichos e da montanha.

Estes dois aspectos contraditórios, que são a consciência do cataclisma e a nostalgia de uma idade de ouro, enquadram Lasar Segall dentro do Expressionismo; mas de um expressionismo não ortodoxo, atenuado, de feição muito peculiar, que de um lado afina com os grupos secessionistas, com os quais em geral expunha, e de outro apresenta a marca das correntes estéticas francesas. Era uma posição talvez próxima à de Feininger, por quem nutria muita admiração.

Em resumo, ao contrário da maioria dos expressionistas, cujas personalidades dionisíacas seguiam o apelo do irracional, do onírico, do desordenado, Segall parecia definir-se como um temperamento apolíneo e, paradoxalmente, como um cartesiano. Na verdade, é sobretudo um homem da ordem, como indica a autora, que explora com *humour* este traço dominante de sua personalidade. Por isso está sempre vigiando a fatura dos ternos, a forma do chapéu, a implantação dos óculos na estrutura do rosto, a seqüência dos algarismos na numeração das casas, a disposição dos quadros na parede — ou dirigindo, com minúcia japonesa, o ritual complexo dos passeios. É ainda a obsessão da ordem que se reflete na construção exigente das telas, que representam sempre — como viu bem Mário de Andrade, já em 1923 — o equilíbrio harmonioso entre a pesquisa artística e a intenção expressiva.

É este artista de personalidade original e formação rigorosa — ligado aos principais movimentos europeus de vanguarda, sobretudo alemães; conhecido nos grandes centros artísticos e com obras expostas em galerias de arte de renome; amigo e companheiro de pintores de fama internacional como Lyonel Feininger, Schmidt-Rottluff, Otto Dix, Kandinsky, Grosz, Schwitters; ou de críticos como Will Grohmann — que em 1923 chega ao Brasil para fixar-se definitivamente em São Paulo. Qual a conseqüência do acontecimento para o meio provinciano e artisticamente acanhado da cidade?

3.

A essa altura, a Semana de Arte Moderna, que fora o grande impacto nos costumes artísticos brasileiros, datava de um ano. Os modernistas mais conscientes já manifestavam certo descontentamento em relação aos aspectos muito estetizantes da pregação francesa e italiana, que até o momento os havia norteado, e procuram novos rumos. Havia alguns anos — desde 1917, segundo Telê Ancona Lopez — Mário de Andrade vinha aprendendo alemão e, como corretivo para sua formação francesa, buscando informações sobre outras vanguardas, em revistas como *Der Sturm* e nas secções de livros estrangeiros de *Europe*. A partir de 1923 passa a preocupar-se preferencialmente com a contribuição cultural alemã, lendo Freud, Koch-Grünberg, certos teóricos como Wörringer e escolhendo, como assunto de sua crítica jornalística do período, exposições de artistas plásticos, espetáculos coreográficos, filmes de procedência germânica. É o caso da longa análise que faz de *O gabinete do dr. Caligari* (1919), de Robert Wiene, aparecida em dezembro de 1923 na revista *América Brasileira*.

Portanto, a guinada do principal teórico brasileiro, do pólo francês e italiano para o alemão, foi progressiva e já tinha se iniciado quando Segall instalou-se em São Paulo. No entanto, deve ter recebido de sua presença na cidade um novo impulso, ao qual logo irá acrescentar-se o que proveio da chegada do arquiteto Gregori Warchavchik. Mário de Andrade, Lasar Segall e Warchavchik — sobretudo o último — serão os principais responsáveis pela vigorosa investida que a arquitetura moderna então inicia e que representa, no decênio, uma das expressões mais vivas da vanguarda brasileira. Embora ela não tenha interessado o projeto de Vera d'Horta Beccari, eu me deterei nela um momento, para poder levar adiante certas observações.

4.

É sabido que o Modernismo provocou na alta burguesia uma atitude mais receptiva que na burguesia média, em grande parte devido ao apoio inicial de alguns de seus representantes eminentes, como Paulo Prado e D. Olivia Guedes Penteado. No entanto, a adesão destes dois nomes não foi suficiente para difundir a pregação modernista e transformar de imediato a sensibilidade geral da classe dominante, como se pode inferir das vaias desencadeadas pela platéia do Teatro Municipal durante os espetáculos da Semana, das campanhas contra o movimento levadas a termo pelos jornais de prestígio e, no fim do decênio, da reação hostil dos engenheiros de formação tradicional às primeiras realizações da arquitetura moderna. Talvez seja possível dizer que os modernistas não se apoiaram com docilidade numa burguesia condescendente, mas tiveram que lutar com denodo para abrir, para si, um lugar no seio dela. A conquista foi lenta, em etapas, às vezes sub-reptícia e através de expedientes aparentemente fúteis, como veremos, e só alcançou um ponto de estabilidade no fim do decênio de trinta, com a instalação dos salões modernos de pintura: Salão de Maio, do Sindicato dos Artistas Plásticos, da Família Paulista. São eles que arrematam, definitivamente, a "rotinização da modernidade", para a qual também contribuíram, embora em plano mais modesto, dois fatores: o advento da arquitetura moderna — e, em conseqüência disso, de um novo estilo de conforto — e a instalação de uma concepção revolucionária de festa.

Não cabe referir aqui, com minúcia, à verdadeira batalha que foi a construção em São Paulo das primeiras casas modernistas, projetadas por Warchavchik. O livro de Geraldo Ferraz documenta fartamente os ataques sofridos pelo grande arquiteto através da imprensa por engenheiros de prestígio na época, como Christiano das Neves e Dácio de Moraes.[3] Basta lembrar que foram essas residências pioneiras — a casa da rua Santa Cruz, em 1928, a casa de Segall, em 1932, na avenida Afonso Celso — que renovaram entre nós o conceito de moradia, de conforto, de decoração, difundindo na burguesia os princípios de Gropius, Le Corbusier, da Bauhaus. Baseadas numa concepção muito diversa do espaço e coerentes com o desenvolvimento da técnica e os materiais recentes de construção, impunham uma estética do cimento armado, das linhas retas e sem enfeites, despojamento que atingia também o mobiliário e os demais objetos de adorno.

Foi através de algumas dessas casas, como a de Segall, onde cada detalhe era cuidadosamente concebido tendo em vista a harmonia do conjunto, que a burguesia foi se acostumando com uma modernidade que não se restringia aos quadros cubistas, dispostos nos espaços nobres das paredes, mas estava em toda parte: nos jardins projetados por Mina Warchavchik, nos móveis, desenhados por Gregori Warchavchik e pelo dono da casa, nas almofadas de Regina Graz, nas xícaras de vidro ou cristal transparente. Causando escândalo na época, mas logo reproduzidas nas revistas mundanas, essas residências acabaram impondo sua estética, na verdade mais adaptada aos vestidos curtos e ao cabelo a *la garçonne* de suas proprietárias, que os palacetes neoclássicos dos Campos Elíseos e Higienópolis.

[3] Geraldo Ferraz, *Warchavchik e a introdução da nova arquitetura no Brasil: 1925 a 1940*, prefácio de P. M. Bardi, São Paulo, Masp, 1966.

5.

Mas, se na imposição da arquitetura moderna Segall teve um papel auxiliar — a glória cabendo, sem dúvida, a Warchavchik —, na difusão de um novo conceito de festa sua liderança foi decisiva. É o que se conclui do capítulo fundamental em que Vera d'Horta Beccari descreve, detalhadamente, a fundação, o funcionamento, a orientação da SPAM [Sociedade Pró Arte Moderna], e a estrutura dos seus grandes bailes anuais.

O que eram essas festas que fizeram época e se realizaram, regularmente, de 1932 a 1934? Quais as características inovadoras que as distinguiam das demais festividades mundanas correntes? À primeira vista, eram meros bailes públicos à fantasia, explosões lúdicas que, não mais restritas ao meio modernista, se espraiavam aos outros grupos da sociedade, por intermédio de um convite pago. No entanto, um exame mais atento — como o que tentarei adiante — demonstraria que não representavam apenas o gasto de uma energia excedente, mas a iniciação programada numa sensibilidade nova.

Neste particular os bailes da SPAM não tinham equivalente em nenhuma das outras reuniões festivas, públicas ou privadas, educativas ou de mera diversão, conhecidas até o momento. Comparadas a eles, por exemplo, as comemorações da Semana, em 22, com seus números musicais, recitativos, conferências literárias e exposições de obras de arte, pareciam paradoxalmente acadêmicas. O mesmo se poderia dizer das grandes reuniões anuais da Villa Kyrial — ponto de encontro de artistas e da burguesia ilustrada —, onde a hospitalidade de Freitas Valle acolhia na parte lítero-musical a contribuição revolucionária dos modernistas, mas tinha o cuidado de preservar nas regras de protocolo os hábitos tradicionais. Sobretudo o respeito à hierarquia, representado pela cadeira de espaldar acentuadamente

O salão nobre da Villa Kyrial, de Freitas Valle, em 1916.

mais alto, que o senador reservava para ele no salão nobre. Na atmosfera *art-nouveau* da casa havia, aliás, um pouco de tudo: um ou outro quadro de Segall, de Anita Malfatti, pequenas telas ainda penumbristas de Di; mas, no conjunto, o que dominava era a presença maciça da arte acadêmica, sobretudo os detentores de prêmios oficiais, em seus bons e maus momentos: Pereira da Silva, Visconti, Parreiras, Belmiro de Almeida etc. Salão de transição entre dois períodos políticos, duas épocas artísticas, duas sensibilidades, a Villa Kyrial conservava intacta, apesar de sua sincera intenção renovadora, a marca poderosa da República Velha.

Os encontros semanais no Pavilhão Moderno de D. Olivia Guedes Penteado eram, sem dúvida, mais homogêneos e distendidos, como se depreende da breve descrição feita por Mário de Andrade na conferência *O movimento modernista*. A decora-

O Pavilhão Moderno de D. Olivia Guedes Penteado, 1925.

ção de Segall, as grandes almofadas inspiradas nos Delaunay, as telas célebres dos cubistas europeus e, sobretudo, a presença exclusiva da vanguarda intelectual paulistana no recinto, abriam efetivamente um espaço de contestação em plena alta burguesia. Um detalhe, no entanto, demonstra que a conquista da modernidade ainda era recente e delicada, e que apesar de sua liberalidade a dona da casa continuava impondo aos novos amigos o código severo de seu mundo: o pavilhão fora construído no jardim, mantendo-se, por conseguinte, cautelosamente segregado do corpo da residência, e como os recebia em dias precisos — sempre nas terças-feiras — excluia-os de um contacto eventual com seus freqüentadores costumeiros. Aliás, o tom das reuniões não era ditado, propriamente, pela presença dos modernistas, mas pela personalidade de D. Olivia, cuja autoridade todos acatavam com respeito. O salão acabava sendo, assim, mais importante para ela que para os convidados, pois lhe permitia, sem grande risco, brincar de vanguarda em seus jardins, como Maria Antonieta brincara de pastora no Petit Trianon.

Quanto às reuniões menores, como as da casa de Tarsila, ou os encontros semanais da rua Lopes Chaves, no estúdio de Mário, não eram propriamente festividades. Entremeadas de discussões, representavam antes debates intelectuais ou, como diríamos hoje, autênticos seminários de modernidade.

O espírito do Modernismo, com toda sua verve e poder de invenção, se alojaria, mais tarde, em outro espaço: os bailes anuais da SPAM. Estas festas amplas e heterogêneas, misto de baile e representação teatral, reuniam artistas, intelectuais e figuras de relevo do meio social para, sob as ordens de um *metteur-en-scène*, realizar uma grande pantomima, que seguia minuciosamente um roteiro, com papéis atribuídos, números ensaiados e guarda-roupa adequado. Sob certos aspectos, aproximavam-se dos jogos e invenções cênicas das vanguardas européias — como lembra a autora — ou ainda das *gags* de Piolim, o célebre palhaço nacional, introduzindo nos salões mundanos a rude comicidade popular, que já tivera livre curso nas caricaturas de Di, no poema-piada, nos grandes textos modernistas do decênio de vinte.

Foi por intermédio dessas festas aparentemente levianas que os modernistas obrigaram o mundo oficial a enxergar o aspecto exterior das coisas, com o olhar cômico e sacrílego da populaça. Como na análise magistral de Bakhtin, instituía-se naquele espaço mágico e provisório uma pausa na ordem vigente; a grande carnavalização da burguesia que então se processava, impunha a todos um outro conceito de rosto, vestimenta, urbanidade, poder, heroísmo, retórica. A figura nova desse mundo de cabeça para baixo já se esboçava desde o convite impresso, que descrevia a cidade com seus habitantes e seus ritos, deformada pela curiosa inversão de valores. Como agora tudo é visto pelo aves-

Decoração de Lasar Segall para baile da SPAM, 1934.

so, o príncipe galã, símbolo do ideal masculino, encarna-se na figura pança de Dom Momo; e na rua, policiada por um guarda de trânsito *insensato*, explode a "fauna urbana e suburbana" de farsantes e desclassificados: doutores e "heróis de fresca data", mendigos, prostitutas, jogadores — escória que "cai na farra", "dançando na corda bamba" as danças mais variadas, vindas dos quatro cantos da terra.

A dessacralização dos valores prossegue na descrição do espaço urbano, pois, em vez do lar, a igreja, o jardim público, o coreto, a "escola risonha e franca" dos velhos livros de leitura, Spamolândia oferece ao visitante a atração nova do bar, do bordel, do presídio, do mictório, do circo e do jardim zoológico. É nesse cenário colorido que se desenrolam as solenidades coletivas, como o *cortejo* e a *inauguração da estátua*. O primeiro, em vez de reunir, como de costume, as pessoas gradas, compõe-se de desajustados e marginais: o príncipe Carnaval, Miss Spam, o bobo da corte e a bailarina principal. E quem é o herói, cuja estátua está sendo inaugurada com o discurso inflamado do prefeito? Uma bailarina que tem na cabeça um capacete de soldado e ensaia, ao mesmo tempo, um passo de balé e um gesto marcial. Mas a espada que empunha, em vez de atingir o inimigo, espeta gloriosamente um frango... enquanto o povo, sob a batuta inspirada do maestro, canta em coro o hino da cidade. Cujas palavras não significam absolutamente nada.

Não espanta que essa grande sátira da vida oficial, representada com entusiasmo pelos próprios membros da burguesia, orientados por um pintor estrangeiro e um poeta mal visto, acabasse criando entre os mais reacionários um grande mal-estar. Foi de fato o que aconteceu, como se pode concluir de dois sintomas, sublinhados com muita agudeza pela autora.

O primeiro é a substituição de Segall por Guilherme de Almeida, imposta pela ala mais convencional da SPAM, logo em seguida ao sucesso retumbante do baile do Trocadero, em 1933. Ela traduz o desejo da burguesia de retomar as rédeas do espetáculo, expulsando dele o riso perturbador da praça pública — que Segall e os modernistas haviam introduzido por baixo do pano —, para substituí-lo pela graça a que estavam acostumados, o inofensivo dito de salão de Guilherme de Almeida.

O segundo é a campanha difamatória que logo se instala contra Lasar Segall, em particular, e os modernistas em geral, comprovando mais uma vez que o recrudescimento da direita se associa freqüentemente ao anti-semitismo e à desconfiança em relação às vanguardas. É nesta perspectiva de pânico e autodefesa que devemos ler o artigo “Os fins secretos da Spamolândia”, de José Bonifácio de Souza Amaral. Pois, embora de modo confuso e descoordenado, o autor entrevia o perigo que significava para as classes altas a adesão ao espírito do Modernismo, cuja acidez, extravasando os limites puramente estéticos, podia acabar corroendo a confiança nos valores éticos tradicionais. Sobretudo naquela etapa de transformações políticas decorrentes da virada de 1929, em que as saídas não eram procuradas apenas na direção do Integralismo — como seria o desejo do articulista — mas num possível reforço das esquerdas.

Em resumo, a crise interna da SPAM prova que já estava ficando difícil preservar a coexistência dos dois fatores antagônicos a que se devia o equilíbrio de seus bailes: o riso desatado da praça pública, que questiona tudo, sem dar tréguas, e a visão oficial da sociedade, que não pretende modificar nada. Chegava-se ao termo de um período de transição, e o que vinha pela frente não comportava mais as soluções paliativas, como conclui, num trecho admirável de síntese e lucidez, o próprio Mário de Andrade:

> "Tudo estourava, política, famílias, casais de artistas, estéticas, amizades profundas. O sentido destrutivo e festeiro do movimento modernista já não tinha mais razão-de-ser, cumprido o seu destino legítimo. Na rua, o povo amotinado gritava — Getúlio! Getúlio... Na sombra, Plínio Salgado pintava de verde a sua megalomania de Esperado. No Norte, atingindo de um salto as nuvens mais desesperadas, outro avião abria asas do terreno incerto da bagaceira. Outros abriam eram as veias pra manchar de encarnado as suas quatro paredes de segredo."[4]

O decênio de trinta será o momento das escolhas. Logo Segall e Mário, abandonando o exercício lúdico da imaginação, her-

---

[4] "O movimento mordernista", in *Aspectos da literatura brasileira*, Rio de Janeiro, Americ-Edit., 1943.

dado das vanguardas, concentram-se apenas em seus projetos de vida. O primeiro ainda colabora por algum tempo na organização dos Salões de Maio, que se realizam a partir de 1937, mas logo se dedica apenas à confecção de seus grandes painéis: *Pogrom* (1937), *Navio de emigrantes* (1939/41), *Guerra* (1942), *Campo de concentração* (1945), *Êxodo* (1947). Do seu lado, Mário de Andrade está em 1935 dirigindo o Departamento de Cultura e, portanto, afastado provisoriamente de suas tarefas de escritor, para pôr em prática na sua cidade uma política de aproximação da arte com o povo.

Com o advento do Brasil moderno e a deflagração da Segunda Grande Guerra, ter-se-ia perdido o espírito criativo, contestador, que presidira às grandes festas públicas da SPAM? Teria desaparecido para sempre da bagagem dos artistas brasileiros o veio saudável da comicidade popular que, emprestado um pouco ao circo, um pouco às vanguardas, um pouco às leituras eruditas da linha chamada por Bakhtin menipéia, produzira a cenografia, o enredo, a vestimenta e os textos recitados daqueles bailes? Creio que não, e a prova disto é o longo poema *O café*, que Mário de Andrade termina em 1943, pouco antes de sua morte, e devia servir de libreto a uma ópera coral de Francisco Mignone.

6.

Quem tiver o cuidado de analisar com atenção o episódio intitulado "Câmara Ballet" — a meu ver a parte mais bem realizada da obra — não terá dificuldade em destrinçar desde o início, no texto e na pormenorizada marcação do espetáculo, que o antecede, a influência marcante do Expressionismo alemão, em especial a "Table Verte", célebre realização do *Ballet Joos*. Mas se, levando adiante esta observação — feita pela primeira vez, a meu ver, por Oneyda Alvarenga —, procurarmos verificar se o poema não apresenta, igualmente, as marcas das vanguardas locais — sobretudo de certas manifestações auxiliares, desprezadas até o momento e postas em relevo neste livro —, poderemos chegar a constatações inesperadas. Veremos, por exemplo, que um parentesco muito próximo une a brincadeira inconseqüente do início dos anos trinta à experiência corrosiva de *O café* em 1943. O objetivo da primeira era apenas aliviar as tensões e, servindo-se da "licença" habitualmente fornecida pela festa, avançar um pouco o sinal na direção da crítica às instituições; a segunda, deliberadamente revolucionária, utilizava a comicidade popular como arma franca de combate. O desejo de dessacralizar os valores estabelecidos, presente em ambas, fazia do exercício lúdico do passado uma espécie de rascunho, de esboço de mocidade da grande sátira do fim da vida. Portanto, o hino sem sentido de Spamolândia apenas antecipava a embolada de *O café* sobre a ferrugem das panelas de cozinha; como o herói-bailarina, imortalizado na praça pública, já fazia prever a grotesca contradição interna que rege os membros da Câmara dos Deputados. É verdade que, saltando da festividade privada para a grande Arte, do terreno restrito do salão burguês para a amplidão popular do palco, a virulência se tornara sangrenta. Mesmo através da leitura o texto mostrava suas unhas, e podia-se calcular, por exemplo, o efeito que teria no palco a ascensão do enorme traseiro do Secretário Dormido, voltando-se impávido contra a platéia. Como se teria sentido o autor de "Os fins secretos de Spamolândia" diante desta metáfora eficaz do desprezo dos "donos da vida" para com o povo?

7.

Estas observações finais talvez tenham levado muito longe do núcleo central do trabalho de Vera d'Horta Beccari. Mas, ao desenvolvê-las, quis chamar a atenção do leitor para a riqueza e variedade de sugestões que derivam de uma pesquisa minuciosa como a sua. Pois, na verdade, a autora não se limitou a analisar aqui a personalidade artística e psicológica de um grande pintor europeu e a sua adaptação gradativa ao nosso ambiente intelectual — como se propõe modestamente na "Introdução". Focalizando a fase brasileira de Lasar Segall, acabou descrevendo o que foi a transformação geral do gosto na época e a parte que ele desempenhou na instalação de uma nova concepção de moradia, de conforto, de lazer. A partir daí seria possível ainda concluir como a sua presença em São Paulo reforçou de maneira fundamental o prestígio das vanguardas alemãs, confirmando o maior representante do Modernismo, Mário de Andrade, em seu pendor espontâneo para o Expressionismo. A curva que se origina nas festividades frívolas da SPAM e termina na vaia sonora do "Câmara Ballet" nos ensina que a história das formas artísticas é caprichosa, e que às vezes são insondáveis os desígnios da Arte.

Duas notas

1. João Câmara Filho: nota sobre uma velha exposição

O traço ostensivo e mais fácil de apreender na mostra que em 1976 João Câmara Filho fez no MAM do Rio de Janeiro[1] era o uso insistente de alguns *tópicos* tradicionais da pintura, como os braços estendidos para o alto com as mãos abertas, ou os torsos de membros ora atados, ora decepados. O primeiro recurso ocorria com insistência nos retratos e nas composições mais complexas e podia, com o tempo, transformar-se em maneirismo ou cacoete, se o artista não se acautelasse. Na verdade ele não o tinha inventado, pois tratava-se de um lugar-comum da iconografia dramática cuja poderosa força persuasiva já fora utilizada largamente pela pintura religiosa ou de protesto, de Giotto a Van der Weyden, de Goya a Picasso ou Portinari. Contudo, no pintor pernambucano a obsessão com as mãos extravasava dessa conotação social e expressiva para assumir, paralelamente, um aspecto apenas técnico, derivado da segurança admirável em reproduzi-las plasticamente. Por trás da grande variedade de gestos

[1] Litografias e pinturas da série *Cenas da vida brasileira, 1930/1954*.

registrados — mãos que acolhem, interrogam, indicam, exclamam, protestam, acusam etc. — sentia-se um pouco a vaidade de quem sabe utilizar os sinais e transferi-los para a arte, sem perda da carga emotiva. Este dom não era comum no panorama modesto de nossa pintura e, salvo algumas honrosas exceções, escasseava mesmo em artistas de primeiro plano. Era o caso de Eliseu Visconti, por exemplo, que, embora preso a uma estética acadêmica, comprometia às vezes a qualidade excelente das telas, ao solucionar mal o desenho ou o tratamento cromático de mãos e braços que, arroxeados ou entumescidos, permaneciam alheios ao resto da figura.

Mas voltemos a um dos estilemas há pouco mencionados, os *braços erguidos com as mãos espalmadas*, pois, apesar de ele lançar raízes na iconografia tradicional da pintura, recebia de João Câmara um tratamento tão pessoal que merece ser analisado com mais vagar. Na verdade não era um traço isolado, pois se articulava no interior da tela, ou de uma tela para outra, com um segundo estilema obsessivo, os *braços atados ou decepados*. A coexistência num mesmo contexto ou em contextos vizinhos das duas figurações contraditórias, uma exprimindo impulso, energia, protesto e a outra, bloqueio, impedimento, impotência, criava no interior do discurso uma crispação permanente, uma tensão insolúvel. Era como corretivo para o impasse que o artista inventava um terceiro estilema, a multiplicação desordenada dos *braços sobressalentes*. Tentemos descrever à luz de dois exemplos a intrigante mitologia privada do artista; tentemos, se não decifrar, pelo menos ouvir melhor o grito amordaçado que nos dirige.

Uma das telas expostas nos apresentava a Liberdade, figurada sob o aspecto alegórico tradicional, como mulher de porte majestoso, empunhando uma tocha (na verdade uma estrela). Esta era erguida, no entanto, por um membro artificial, pois os braços verdadeiros lhe tinham sido atados às costas. Comecemos a nossa primeira leitura deixando estes detalhes provisoriamente entre parêntesis, relegados à sombra, a fim de que o inconsciente coletivo possa recuperar a força original da alegoria que, aliás, fora revitalizada no decorrer do século XIX por uma série de contaminações como, por exemplo, a pintura de Delacroix. Esta manobra que valoriza a penetração do coletivo na significação da imagem nos faria chegar à seguinte verbalização:

"A liberdade é uma aspiração espontânea, aparentemente frágil mas na verdade inquebrantável. É inútil procurar neutralizá-la. Pois acuada entre o ímpeto da ação e o bloqueio inevitável dos gestos ela saberá driblar a condenação à inércia que tentam impor-lhe, fazendo renascer um membro novo a cada membro anulado. Assim, o que a tela propõe é a dramatização do próprio exercício da liberdade, do jogo ardiloso de substituições de que tem de se valer — sobretudo nos momentos de opressão — para levar adiante a sua tarefa heróica."

É evidente que o temperamento sarcástico de João Câmara, treinado no grotesco e na ambigüidade, não se contentaria com esta interpretação convencional. Se ele a sugere é para logo em seguida emudecê-la com a vaia estridente de uma segunda leitura que, voltando as costas para o prestígio rançoso da alegoria, irá se apoiar em lições históricas recentes, que desqualificam o valor absoluto dos conceitos éticos. Assim, o foco de luz, que no primeiro momento incidirá na figura central, é deslocado violentamente para os detalhes significativos, fundamentais, que haviam sido deixados na penumbra. Pois na medida em que os braços atados e o membro sobressalente representam o acréscimo feito por João Câmara à versão tradicional, deviam representar o núcleo da interpretação pessoal dele. Se acentuássemos esta mudança radical de perspectiva, colocando-a sob o signo da interrogação, estaríamos sublinhando a sua tonalidade dubitativa que, reduzida a palavras, diria mais ou menos o seguinte:

"Será possível o exercício da liberdade? Acaso não é por medo que tomamos a precaução de mantê-la, desde o início, manietada? Por que atar-lhe os braços senão para impedir-lhe os gestos mais espontâneos, e por conseguinte, necessários? O braço sobressalente que deixamos emergir será que testemunha um excesso de vigor? Ou é antes o corretivo de uma falha, a prótese imperfeita do braço natural, imobilizado? Ora, se todo braço é uma prótese, todo movimento um arremedo de ação, todo gesto uma substituição, *a liberdade é uma mentira*."

A tela que evoca o suicídio de Getúlio Vargas retoma de modo ainda mais intrigante o mesmo jogo de enigmas e respostas alternativas. Vargas é representado com as *mãos amputadas* mas munido de braços sobressalentes, e é uma das mãos postiças que empunha a arma do sacrifício. A simbologia de paralisação surge, portanto, no seu grau mais sangrento; além disto, ao demonstrar que o revólver não foi acionado pelas mãos verdadeiras da vítima, está indicando que o gesto do presidente não representa um ato pessoal e voluntário, mas decorre de uma violenta privação de liberdade. Se não houve autodeterminação, ou melhor autopunição, a quem se pretende atribuir a responsabilidade da morte? Ao *Fatum*? Isto é, trata-se de uma morte definida com antecedência, como um plano determinado do destino a quem a vítima não tinha "o direito, o poder ou o desejo de contestar"?[2] Ou de um sacrifício imposto pelos acontecimentos, um castigo, uma condenação? Neste último caso estaria João Câmara descrevendo um episódio político com neutralidade e realismo ou, ao contrário, amortecendo a tonalidade histórica ime-

[2] A frase é de Sartre, para caracterizar o comportamento "derrotista" dos personagens literários do jovem Flaubert, marcados por uma condenação original e irremediável.

João Câmara Filho, *1954, II*, 1976, óleo s/ tela, 180 x 240 cm.

diata para aproximá-lo — a sério ou como paródia — do suicídio arquetípico, exemplar, de Sócrates? Tudo é possível numa visão complexa e anárquica como a sua.

Esta breve análise de exemplos lembrados um pouco ao acaso mostra que o traço principal da imaginação de João Câmara é a alegoria, e que sua arte vive em larga medida de ressonâncias exteriores à pintura. Uma ambigüidade ininterrupta percorre essas telas que se referem incessantemente à História mas não têm a intenção de reproduzi-la; que lidam com personagens e acontecimentos verídicos com uma fidelidade aparentemente de cronista, mas reinventando-os a tal ponto que os contemporâneos não conseguem reconhecê-los; e se os detalhes, as associações, os vínculos que a imagem propõe — Juarez e a montaria, Getúlio e o peru agressivo, Lacerda e o automóvel — parecem indicar inicialmente uma referência ao real, examinados à luz dos fatos revelam-se logo arbitrários, puro exercício de imaginação. Assim, o que se desdobra aos nossos olhos sob o nome enganador de *Cenas da vida brasileira* não é a representação crítica de um momento determinado de nossa história política, mas a explosão da mitologia privada de um criador, a qual ressurge a cada momento, implacável e renitente como os braços multiplicados de seus personagens.

2. Gregório Gruber e a ordenação do espaço

Desde as primeiras exposições, quando ainda se apresentava com outros jovens, era nítida a distância que separava Gregório dos companheiros de geração. Se nessa época tomássemos como referência um artista tecnicamente tão seguro quanto ele, Lourenço,[3] veríamos que este usava um processo moderno, a tinta acrílica, mas refazia a pintura ilusionista acadêmica com todos os velhos truques, repetindo com paciência a velatura, retomando com monotonia e sem afastamento crítico a temática dessorada da pintura anedótica: o bando pobre da rua, o pretinho de grandes olhos mansos, o moleque ostentando na cabeça o chapéu de jornal, o menino descalço soltando papagaio. Não se tratava, por conseguinte, de uma pintura realista, mas anacrônica e mesmo nostálgica, cujos temas e recursos teóricos insistiam com ingenuidade no contraste entre as pipas livres e coloridas vagando no céu e a servidão geométrica, preto e branca, dos postes e fios elétricos do arrabalde.

---

[3] José Toledo Piza Lourenço Jr. (São Paulo, 1945-1997).

Gregório, ao contrário, partia de processos tradicionais, relegados a um quase esquecimento como o pastel e a aquarela, mas interpretava o presente. A representação, aparentemente objetiva e quase fotográfica, era no entanto seletiva ao extremo e, fixando a cidade, nos devolvia um universo esvaziado, donde fora excluída a natureza, a figura e, paradoxalmente, todas as características ostensivas que poderiam definir a metrópole: multidão, fluxo de veículos, tumulto multicor de luzes e anúncios. Diurna ou noturna, lívida ou ensolarada, a cidade de Gregório não era estática e disponível, como se a avistássemos do alto de uma janela, mas vertiginosa, apreendida de relance pelo olhar rasteiro de quem se deslocava velozmente nas ruas. Embora não o figurasse, a perspectiva, muitas vezes curva, supunha um observador em movimento, atraído pelas linhas de fuga das avenidas, na iminência de ser tragado pelos túneis ou de flutuar desamparado no arremesso imprevisto de um viaduto. Esta visão tentacular já fora registrada pelas fotografias que a partir da década de quarenta vinham documentando a grande transformação urbana de São Paulo, mas era a primeira vez que a pintura a elegia com naturalidade, sem protesto.

Não estou me esquecendo de que a cidade de São Paulo sempre teve seus intérpretes, isolados ou reunidos em grupos locais como o do Santa Helena ou a Família Paulista. Mas estes, um pouco como Cézanne, que se afastava de Aix em busca da montanha de Santa Vitória, evitaram sistematicamente a turbulência do centro e partiram com as tintas e o cavalete para bem longe. Preferiram transpor para as telas o que já não era propriamente urbano, o bairro proletário, as várzeas, a graça ambígua do arrabalde, os arredores com moradias esparsas — enfim a paisagem humana e harmoniosa que evocava o passado europeu de quase todos. É possível que o convívio tranqüilo de campo e cidade, terra nua e sombra de pomar os deixasse mais seguros, pois ancorava-os, ao mesmo tempo, no *borgo* natal dos antepassados e na pintura italiana, quente e generosa. Foi na convergência destes dois espaços, geográfico e artístico, que Zanini, Rebolo e o jovem Volpi se realizaram. Este último, mesmo enveredando com o tempo por outro caminho, preservou na série das fachadas e das bandeirolas o antigo sentimento paulista da paisagem, que convive em suas telas com velhas reminiscências artísticas: casario dos Lorenzetti, estandartes de Uccello ou Simone Martini.

Gregório pertence a outra vertente. Quando nasceu, São Paulo já era uma metrópole e as vogas estéticas tinham se renovado. Como tantos pintores de então, será o intérprete da civilização técnica, nítida, lisa, asséptica, dinâmica. Não foge deste espaço que lhe é dado, procura antes inscrever-se nele, utilizando com disciplina a iconografia restrita que o rodeia, de edifícios, túneis, viadutos, cruzamentos, muros, carros, postes, telhados, árvores ocasionais. Fixa o mundo exterior com objetividade e sem comentários. A informação é elíptica, freqüentemente abreviada pela sinédoque e se esgota no plano da imagem, desprezando possíveis acréscimos de sentido. No cenário vazio e despovoado como os exercícios arquitetônicos do *Quattrocento* ou as desoladas prisões de Piranesi, tudo vive sem legenda, de uma como que plenitude óptica.

No entanto, ao contrário de outros pintores igualmente exatos e econômicos, Gregório não se policia quando trabalha, não interpõe entre o corpo e a tela a distância prudente do olhar; no momento da criação precisa entregar-se todo à construção pictural, abandonar-se sem reservas àquilo que Lyotard chama com tanta propriedade a "carícia do corpo". Um pequeno documentário de amador, filmado há alguns anos, surpreendia-o nessa intimidade corporal com o suporte e as cores, enquanto desenhava a pastel; era emocionante acompanhar na tela a admirável identidade entre a coreografia dos gestos e o ritmo amplo e amoroso do traçado, o empenho com que as mãos espalmadas espalhavam rapidamente o pigmento colorido na superfície do papel e como, em seguida, cada dedo, de cada mão, dava a pequenos detalhes o certeiro toque final.

Por outro lado, examinando atentamente esta pintura que parece refletir sem retórica o mundo exterior, vemos que ela não é totalmente isenta de intenções. Gregório não proclama aos quatro ventos os desajustes inevitáveis entre o homem e a técnica, mas insinua aqui e ali, através de equivalências sutis, o sentimento de bloqueio e o imperativo da evasão. É para significar oposições desse tipo que transpõe para a tela a graciosa imagem do arbusto leve e ensolarado, que se debruça sobre a sombra arroxeada do muro; ou que noutra tela mais explícita, da mesma série, abre uma fresta colorida entre o bloqueio da parede e a cortina dos ramos para, no intervalo, nos acenar com alguns sinais de convívio: à direita a capota de um carro no abrigo da casa; à esquerda, azul e iluminada, fugindo para o céu, a vista da cidade.

Uma vez explorado o espaço urbano, Gregório procura recuperar a figura e fechá-la entre quatro paredes. Então as gravuras, os desenhos, os pastéis, as aquarelas, passam a reproduzi-la sozinha ou aos pares, no "emaranhado do espetáculo cotidiano": sentada à mesa do café, fazendo a *toilette* matinal, na cama, entre os lençóis desfeitos, junto à televisão, costurando, lendo, fumando. Um sentimento recluso de intimidade, de duração lenta, de silêncio, pousa sobre pessoas e coisas. O colorido não interrompe esta doçura de gerúndio e, evitando os contrastes vivos, explora a monocromia, sobretudo as gradações infinitas de azul e castanho. Como nos mestres do século XVII, luz e sombra entretecem a matéria macia, acamurçada, de que tudo é feito. O claro-escuro, a atmosfera, os temas prosaicos, fazem pensar em Vermeer. Mas a inspiração não virá também de La Tour, quando nos serões noturnos Gregório ilumina o

Gregório Gruber, *Figura na estrada*, 1983,
óleo s/ tela, 90 x 130 cm.

rosto solitário das figuras com o reflexo colorido da televisão? O halo azulado ou cor de laranja que borra um pouco os contornos, introduzindo no campo cromático uma pequena dissonância, talvez seja o equivalente de hoje do reflexo incandescente das velas ou da lareira que em La Tour marcam o lugar da família. Pois a pintura de Gregório, guardando sempre uma extraordinária modernidade, vive muito dessas permutas entre presente e passado, universo da técnica e permanência da tradição.

Neste momento o nosso artista parece estar mudando de rumo. Renunciando à cidade e ao espaço abrigado, onde se dava tão bem, ele acaba de escancarar as portas do estúdio e sair para o ar livre da manhã. É toda a mata da Cantareira que invade de repente os óleos monumentais, deixando um pouco aturdidos os amantes de suas antigas maneiras. Ainda é cedo para rejeitar ou aplaudir sem reservas uma guinada tão repentina. No entanto, um quadro já parece indicar que o percurso que fez foi coerente: aquele em que Mário Gruber, no interior da mata densa e majestosa, caminha por um atalho em direção à porta aberta de um carro, à extrema-direita da tela. Ele representa, a meu ver, o ponto final de um longo diálogo do homem com a técnica, de uma apropriação lenta e gradual dos espaços que percorreu: espaço dinâmico das avenidas, na cidade grande; espaço íntimo e habitado das moradias; espaço vertical das matas, subindo dos caminhos para as copas altas.

E não será este sentimento arraigado, existencial do espaço que, não se esgotando no terreno estrito da pintura, força-o a reinventar, indefinidamente, os vários ambientes em que mora ou trabalha? Gregório tem várias casas, todas na mesma cidade e não sai de uma para entrar na outra como quem liquida um negócio ou muda de assunto. Habita-as alternadamente, num curioso rodízio, reformando-as, alterando-as com uma paciência de Pigmalião, rasgando janelas para recuperar a paisagem, abrindo portas que facilitam a comunicação entre os cômodos, incorporando ao uso de todos escadas que eram apenas de serviço, mudando a tonalidade das paredes para que, na paz do ambiente, quadros, móveis, objetos, adquiram plenitude de vida. É nesse espaço novo, amplo, arejado, medido a um só tempo pelos olhos e pelo ritmo dos passos, que Gregório Gruber circula. Espaço que construiu amorosamente, não para aprisionar, mas apenas conter o Homem.

Rita Loureiro reinventa a pintura

"Pour faire un peintre, il faut beaucoup de science et beaucoup de fraicheur."

Claude Lévi-Strauss

Para se apreciar devidamente a admirável série de telas que Rita Loureiro apresentou em 1984 no Museu de Arte de São Paulo, sob a designação geral de *Boi Tema* — e que vemos agora reproduzida em livro[1] — é necessária uma breve referência ao percurso que fez.

O seu primeiro trabalho de fôlego foi a seqüência de quadros *Macunaíma*, realizada em 1981, que logo mais iria ilustrar a bela edição da editora Itatiaia. Na medida em que a obra de Mário de Andrade já era um universo ordenado, um sistema, a pintora se limitou a transportá-lo para a tela e foi, quase sempre, uma ilustradora. Presa ao texto que a fascinava e lhe servia de guia, não precisou sair em busca de assunto e foi se entregando ao laborioso aprendizado da pintura, enquanto assimilava aquela personalíssima interpretação do Brasil. Como não podia contar com museus nem companheiros que lhe ensinassem as regras de ateliê, teve de inventar seu ofício aos poucos, no isolamento da

---

[1] *Boi Tema*, Rio de Janeiro/São Paulo, Philobiblion/Edusp, 1987.

Amazônia, folheando livros de arte, detendo-se nos artistas com os quais sua sensibilidade afinava, decifrando processos e estilos de transposição da realidade. Observava com a mesma paciência infatigável a arte e o mundo, e ia experimentando tintas e pincéis, atenta à vocação formal de cada elemento, ao jogo da luz na cor local, a flexibilidade das fibras no trançado das esteiras, à textura das plumagens, à modulação infinita das cores. Notava, por exemplo, que o verde não era o mesmo na copa arejada das árvores, nas palmeiras, na sombra dos igarapés. Vibrava de modo diverso nas longas hastes movediças à beira dos rios, nas moitas espalhadas pelo chão batido, nas folhas miúdas e ovais, na vegetação espatulada que a correnteza parecia levar. A matéria viva de que as folhas eram feitas *vicejava* comunicando-se com o sol e o vento e era diversa do corpo seco e inerte das pedras que, em silêncio, pavimentavam a cidade. No entanto as pedras também tinham a seu modo uma vontade, uma exigência que tornava difícil à mão do pintor ajeitar entre si as superfícies variadas que recobriam: o caminho de seixos rolados, a mureta de lajotas, a parede de azulejos.

Era assim que Rita devia ir meditando, enquanto se curvava com disciplina à "realidade objetiva das coisas diferentes", com aquele mesmo empenho de exatidão que tinham os retratistas do passado ao representarem a qualidade peculiar de cada tecido — o veludo, o cetim, a lã, o algodão —, a queda diversa da vestimenta conforme ela tivesse sido talhada no fio reto ou enviesado.

"— Como é difícil pintar!" deve ter exclamado mais de uma vez com seus pincéis. De fato, era difícil dar a impressão que o ar circulava entre as coisas, sugerir a profundidade da mata através do ritmo dos troncos, agrupar as nuvens no céu, as ubás no ancoradouro. Como tirar partido dos motivos geométricos que recobriam os corpos, as máscaras, os objetos e utensílios, ao modo de uma pele tatuada? Como representar a devastação da floresta? Quem sabe dispondo as toras abatidas, em diagonal sobre o solo, como Uccello fez com as lanças, para figurar o final da batalha...

Eram perguntas assim que Rita ia se fazendo, enquanto ilustrava o grande livro. Deve ter trabalhado seguindo uma linha cronológica, do início para o fim da narrativa, disciplinada mas um pouco tensa, dividida entre as duas tendências contraditórias que partilhavam a sua personalidade: uma intimista, adequada à natureza-morta e ao senso paisagístico, outra visionária e fantasmagórica, pronta a aderir ao mito. A partir de certo momento sente a mão segura, está apaziguada. Já sabe representar o cenário luxuriante da selva, as aves e bichos, os artefatos indígenas, a infinita variedade das texturas, com a delicadeza dos miniaturistas, dos tapeceiros. É com essa curiosa sensibilidade, a um tempo selvagem e medieval, que visualiza os monstros, a Sombra, negra e escarlate com a sua assustadora boca, a velha Ceiucí, talhada na madeira como uma carranca das barcas do São Francisco. Empenhada em servir com fidelidade o texto, assimilou os seus múltiplos aspectos, não só a parte plástica e decorativa mas ainda os traços humorísticos e de crítica social, o elaborado sistema de sinais de que Mário de Andrade se utilizou para interpretar o Brasil. Ao mesmo tempo, reviu com cuidado a avaliação que ela mesma fizera da cultura popular, comparando-a à dos comentadores do livro e a outros escritos do autor.

Este procedimento detalhado e consciencioso representou para Rita Loureiro um aprendizado, uma iniciação e, até certo ponto, o fim de uma etapa. Talvez seja isso que parece nos comunicar a estranha composição que finaliza a série e traz à guisa de título — como aliás ocorre no livro — a frase feita que arremata as narrativas populares: "Acabou-se a história e morreu a vitória". De fato, a ilustração referida não se assemelha às demais: o colorido é inesperadamente muito frio, dominado pelo acorde refinadíssimo cinza-azulado/cor-de-ouro, que vem repetido em todos os monstros. No primeiro plano, uma recapitulação rápida da narrativa fixa, em estilo rude e sem convicção, meia dúzia de personagens estampados quase tipograficamente em preto e branco. No canto inferior, à direita — onde o contraste entre a tira verde da vegetação e a diminuta enseada do rio alteiam um pouco o esquema das cores — Mário de Andrade é representado na rede, numa citação em surdina da célebre gravura de Lasar Segall. Tudo o que resta do livro é essa breve homenagem àquele que serviu de guia à artista e as poucas alusões feitas ao entrecho, no primeiro plano. O resto da composição, sobretudo a admirável parte central, já pertence a outro universo e devemos creditar agora à sensibilidade pessoal e à memória erudita da pintora a coleção de monstros estranhos, delicados e esguios que, feitos de um sopro levíssimo, parecem muito mais próximos da imaginação de Bosch que dos avatares pesados e sangrentos do nosso populário. Além disso a proporção retangular da superfície pintada também se alterou, e a tendência anterior à verticalidade deu lugar a um espaço alongado, horizontal, semelhante aos de Paolo Uccello, Andrea del Castagno na *Última Ceia*, Piero della Francesca no *Palco Cômico do Palácio Ducal de Urbino*. Ora, todas estas indicações estão sugerindo que Rita Loureiro já se sente livre e senhora de si, pronta para caminhar em direção de sua própria obra.

Três coisas chamavam imediatamente a atenção de quem, entrando na sala inferior do Museu de Arte de São Paulo, deparava com a coleção de óleos intitulada *Boi Tema*: a proporção peculiar das telas, a extrema unidade do conjunto e o estilo muito pessoal da artista. Pois se aqui e ali podíamos surpreender uma vaga afinidade com a arte ingênua, a análise mais atenta revelava que a elaboração era requintada e se mantinha eqüidistante da vivência da paisagem amazônica, da complexa herança cultural brasileira e da familiaridade inesperada com a tradição renascentista. Vejamos como esses componentes, na aparência desencontrados, se harmonizavam na pintura de Rita Loureiro.

A quase totalidade das obras aderia a um espaço horizontal, aquele que ainda há pouco apontamos na última ilustração de *Macunaíma* — excessivamente alongado e mesmo um pouco desagradável, se posto em confronto com a elegante proporção do corte de ouro. No entanto a escolha da pintora não fora arbitrária. Ligava-se à profunda vivência da paisagem, ao sentimento da distância, das travessias intermináveis, do horizonte das águas que, mesmo imensas, não eram as águas sinfônicas do mar, mas a melodia infinita dos rios, contidos entre as margens. Era o ar livre da rua, do terreiro, do mercado, da andança e, principalmente, do desfile. Presente já nas procissões que os jesuítas organizavam com os índios convertidos, ele ainda permanecia muito vivo nas festas populares — do Espírito Santo e de Reis, nas *bandeiras* ou *folias* — quando bandos de indivíduos iam de casa em casa, entoando cantigas de louvação, angariando dinheiro e donativos. Era ainda o espaço do *cortejo*, parte principal de todas as danças dramáticas brasileiras — os Reisados, as Congadas, o Maracatu, as Taiêras, os Cordões de Bichos, o Bumba-meu-Boi —, únicas representações teatrais difundidas na população pobre e semiculta do Norte e do Nordeste brasileiro.

A meu ver foi a convergência de todos esses elementos que levou Rita a eleger como processo construtivo preferencial a representação sucessiva, a enumeração, a repetição; a ver as coisas uma por uma, desfilando singulares diante dela, como se seu vocabulário não comportasse nem coletivos nem plural; a dispor tudo como num cortejo, máscaras, paramentos rituais, troncos de árvores, cavaleiros, pássaros no céu. Isso ocorre mesmo numa obra puramente plástica, como o *Boi Marrequeiro*, em que apesar de preocupada com o esplendor da cor, a notação do vôo, o cromatismo das penas nas asas espalmadas, é em fila que registra a revoada das marrecas; como é em fila que faz a boiada atravessar o rio a vau (*Boi de Piranha*) ou os cavaleiros conduzirem ao sacrifício o grande boi preto.

Mas se o espaço era horizontal e o elemento construtivo básico o desfile — ou o cortejo —, a temática será retirada do Bumba-meu-Boi. Indagada sobre este ponto, Rita confessou que havia tomado a grande dança dramática como referência, influenciada por Mário de Andrade e pela importância que ele atribuía à presença do boi em nosso populário. Como o problema já foi abordado por mim em outro escrito, tomo a liberdade de transcrever aqui o texto em questão. "A análise das representações coletivas brasileiras revelara a Mário de Andrade que o boi era 'o bicho nacional por excelência' e se encontrava referido de norte a sul do país, tanto nas zonas de pastoreio como nos lugares sem gado [...] Num país sem unidade e de grande extensão territorial, 'de povo desleixado onde o conceito de pátria é quase uma quimera', o boi — ou a dança que o consagra — funcionava como um poderoso elemento *unanimizador* dos indivíduos, como uma metáfora da nacionalidade. Foi com o objetivo de sublinhar este aspecto, surgido espontaneamente na representação coletiva, que no período mais agudo da pregação nacionalista o escritor teria sugerido ao compositor Luciano Gallet a idéia de elaborar uma *suíte* brasileira baseada no Bumba-meu-Boi, seguindo os moldes do *Carnaval* de Schumann ou dos *Quadros de uma exposição* de Mussorgsky."[2] A morte não permitiu a Luciano Gallet pôr em prática a sugestão do amigo, mas a idéia frutificará muitos anos depois na pintura, quando Rita Lourei-

---

[2] *O tupi e o alaúde*, São Paulo, Duas Cidades/Editora 34, 2003, 2ª ed., p. 17.

ro se dispôs a *desfolclorizar* todo um ciclo de criação popular, fazendo-o ascender ao nível da grande arte.

De fato, todo o repertório básico da série *Boi Tema* — personagens, indumentária, figuração simbólica, sugestões plásticas, situações etc. — deriva do Bumba-meu-Boi. A transposição, no entanto, não conservou a fidelidade da crônica, foi inteiramente reformulada, através de uma nova montagem estética. O número variadíssimo de personagens — humanos, animais, fantásticos — reduziu-se quase sempre a apenas dois, o boi e o cavaleiro, que se apresentam de acordo com a caracterização do bailado.[3] O primeiro tem o corpo feito de sarrafos, coberto de pano de chita lisa ou estampada e é movido por várias pessoas que, escondidas nesse arcabouço, animam a figura; o segundo traz preso à cintura uma espécie de cesto recoberto por uma saia ou armação que permite ao personagem fingir que monta a cavalo. Apesar da caracterização tosca, os cavaleiros adquirem na tela uma extraordinária compostura, inspirada provavelmente nos personagens do Reisado do Cego, cuja peculiaridade é se apresentarem a cavalo e "serem, como requer o romance, fidalgos portugueses". Aliás, na fase atual, Rita parece indiferente a certos aspectos populares a que foi tão sensível quando ilustrou *Macunaíma.* Evitou o que havia de pitoresco no bailado, baniu as figuras cômicas e as situações de palhaçada, só conservando os elementos decorativos: a pompa dos chapéus com plumas, dos saiotes floridos, dos *mastrinhos* encimados de estrelas e fitas coloridas. Servindo-se desse repertório restrito, familiar ao povo de sua região, vai nos transmitindo historietas, cenas de crítica social ou política forjadas por sua imaginação vibrante, versões

---

[3] Oneyda Alvarenga, *Música popular brasileira*, São Paulo, Duas Cidades, 1982, 2ª ed., p. 43.

pessoais de episódios míticos milenares. O curioso é que não está inventando uma nova maneira de compor, pois cinco séculos antes dela e em outro quadrante do mundo o *Quattrocento* se utilizou do mesmo processo para revitalizar a pintura do Ocidente.

Na verdade os quadros de Rita Loureiro tomam de empréstimo às festas populares uma determinada concepção de espaço, de acessórios, elementos decorativos, personagens e mesmo um certo número de temas e de situações dramáticas, que os habitantes de sua região decifram sem dificuldade, porque já se acostumaram a vê-los celebrados nos romances ou desfilando pelas ruas nas comemorações de São João ou da Natividade. Ora, sabemos hoje, graças aos estudos clássicos de Kernodle e Francastel,[4] que o *Quattrocento* assistiu a um fenômeno análogo, quando o teatro e a pintura, abandonando as raízes medievais, procuraram inspiração na poesia erudita — onde Policiano já

---

[4] George R. Kernodle, *From Art to Theater: Form and Convention in the Renaissance*, Chicago, University of Chicago Press, 1944; Pierre Francastel, *Peinture et société*, Lyon, Audin, 1951, e *La figure et le lieu*, Paris, Gallimard, 1967.

Rita Loureiro, *Mega Boi*, óleo s/ tela.

havia assimilado a herança greco-latina — e, sobretudo, no riquíssimo repertório dos quadros vivos. É a estas duas influências que devemos creditar a infinidade de elementos heteróclitos, de marcas emblemáticas e sinais que povoam as obras do Renascimento e não apresentavam nenhum mistério aos olhos dos contemporâneos.[5]

Para justificar esta aproximação que pode parecer insólita, entre um processo criador inspirado no folclore brasileiro e outro corrente num dos períodos mais requintados da cultura do Ocidente, vamos nos deter um pouco na tela intitulada *Mega Boi*. Aí estão representados, com grande economia de detalhes e sobriedade de colorido, os elementos principais de seu reper-

[5] Estes sinais — arcos de triunfo, altares, obeliscos, templos decorados com cotas d'armas, castelos, fontes, rochedos, navios envoltos em panejamentos etc. — decoravam as ruas por ocasião das grandes festividades como, por exemplo, a chegada do cortejo dos soberanos à cidade. Muitas vezes desfilavam sobre plataformas e eram movimentados por engenhosos mecanismos.

tório: a paisagem, o cortejo, o boi e os cavaleiros. Os cavaleiros, vindos da planície onde o rio corre e algumas pessoas acenam, acabaram de virar à esquerda e, em formação, como guerreiros numa escolta, conduzem compenetrados um enorme boi preto. O animal, figurado como o personagem do Bumba-meu-Boi, ocupa praticamente o centro da tela, e como suas proporções foram muito ampliadas, assume em relação aos cavaleiros a mesma autoridade e preeminência que, na pintura flamenga, opõe o santo aos doadores. A infinidade de pés descalços, que ultrapassam a orla do saiote branco e assinalam a pobreza do povo, não empana a majestade daquele que segue como um soberano em seu carro de triunfo. Ninguém ousaria rir dessa pompa ilusória que prossegue no cortejo de cavaleiros montados em cavalos-de-pau. O desacordo entre a representação ingênua e popular e o nobre tratamento do assunto torna a tela comovente. A composição é admiravelmente equilibrada: à esquerda o triângulo verde da mata e a lâmina azul-profundo do rio impulsionam a caravana; a figura do boi, malhada de preto e branco, avança heráldica, fantasmal; à direita os cavaleiros em fila e empunhando seus bastões de comando — os "mastrinhos" ornados de fitas das festas do Divino — inclinam levemente a cabeça, como se obedecessem à mesma ordem consentida. A linha melódica das vestimentas de chita florida ecoa na copa ondulada das árvores, nas nuvens. Donde vem esta determinação grave, esta temporalidade altiva e congelada? De Uccello? De Simone Martini? Todos esses indícios nos fazem pôr em dúvida que a obra se ligue realmente ao bailado como a princípio pareciam indicar os elementos cenográficos, a caracterização dos personagens, a indumentária. Mas se nada na tela sugere a comicidade irreverente, quase obscena da parte final do Bumba-meu-Boi, é porque Rita procurou, neste quadro, inspirar-se em "outros conspícuos fantasmas da rítmica nacional", segundo a saborosa expressão de Mário de Andrade: no ciclo dos grandes romances nordestinos do Boi Espácio.

Não ignoro que tanto o bailado como os romances que mencionei giram em torno do mesmo tema, a morte e a ressurreição do princípio vital (no caso representado pelo boi); mas se a dramatização proposta pelo Bumba-meu-Boi sublinhava o aspecto exorcístico, de expulsão do *malefício*, das forças demoníacas — justificando por conseguinte a presença de personagens mascarados, episódios cômicos, entreveros de médico e do padre com o boi —, a do romance põe em relevo o princípio do *benefício*. Vejamos como.

O romance narra a história de um boi preto, malhado, de pontas largas, manso e de estimação:

> "Eu tinha meu Boi Espácio
> Qu'era meu boi corteleiro
> (.....................................)
> Eu tinha meu Boi Espácio
> Meu boi preto caraúna."

Um belo dia, quando o boizinho estava descansando tranqüilo debaixo da cajazeira, surgem na estrada dois temíveis vaqueiros que exigem sua morte e o perseguem e prendem:

> "Me meteram no curral,
> Me trancaram de alçapão;
> E bati num canto e noutro,
> Não pude sair mais não!"

Vendo-se perdido, o boi se despede tristemente do mundo:

> "Adeus, fonte onde eu bebia,
> Adeus pasto onde comia,
> Malhador onde eu malhava.

> Adeus, ribeira corrente,
> Adeus, caraíba verde,
> Descanso de tanta gente!"

Então é morto, esquartejado, e das várias partes de seu corpo que antes era de um só dono, começa a surgir agora a riqueza de todos. O couro,

> "Deu cem pares de surrão,
> Para carregar farinha
> Da praia do Maranhão."

do sebo,

> "[...] fizeram sabão
> Para se lavar a roupa
> Da gente lá do sertão."

da língua,

> "[...] fizeram fritada
> Comeu a cidade inteira,
> Não foi mentira, nem nada."

dos cascos fizeram canoa, dos chifres colher, dos olhos botão... e assim por diante. Ora, foi nesta versão admirável da morte e ressurreição do princípio vital, da abundância que sucede ao longo período de estiagem e privação, que Rita Loureiro deve ter se inspirado. E é por esse motivo que o seu boi "mal comparando, parece assumir uma posição de Dionísio, símbolo do reflorescimento e do tempo fecundo".[6]

---

[6] A citação foi retirada de uma ficha manuscrita de Mário de Andrade, transcrita por Telê Porto Ancona Lopez em *Mário de Andrade: ramais e caminho*, São Paulo, Duas Cidades, 1972, p. 128.

Concluindo: na tela que acabamos de referir, como na série toda que intitulou *Boi Tema*, Rita Loureiro conseguiu fundir com maestria extraordinária a tradição erudita e européia às profundas raízes populares. Por isso, se a quiserem chamar de primitiva será sempre naquele alto sentido dado ao termo por Mário de Andrade, em que no Brasil, como aliás em toda a América, os artistas verdadeiros são "necessariamente primitivos como filhos de uma nacionalidade que se afirma e dum tempo que está apenas principiando". Exilada na Amazônia e protegida pela distância das modas e manias, pôde meditar sobre a cultura de seu país, digerir as tendências e pesquisas universais, acolher sem preconceito a arte dos grandes períodos, a dignidade do *Quattrocento*, a precisão da arte holandesa, a visão alucinatória de Goya e Jerônimo Bosch, o miniaturismo da iluminura e da tapeçaria. Acima de tudo, soube evitar os perigos que ameaçam os artistas contemporâneos que, diante do impasse da pintura moderna — como ensina Lévi-Strauss — "se obstinam a repetir a tragédia de seus maiores, agravando progressivamente os seus vícios".

Feminina, táctil, musical

Assim que o visitante transpõe a soleira da casa, divisa à direita, sobre o móvel, emergindo na penumbra, a cabecinha da menina, esculpida em argila. Foi este o primeiro trabalho de Sara Carone. — Que estranha audácia a teria levado a transferir para o barro o rosto da companheira de escola? Que confiança inesperada em sua perícia de aprendiz a fez abrir sobre os joelhos o livro encontrado ao acaso e ir seguindo, decidida, ora a intuição, ora as regrinhas singelas que o texto lhe transmitia? Com as mãos na massa, foi percebendo humildemente como era penoso o percurso da arte, como oscilava entre a descoberta fortuita e a conquista, o fulgor momentâneo e a incorporação reflexiva do achado! É verdade que não lhe pareceu tão difícil resolver aquilo que mais temia: solucionar os olhos. Viu logo que para dar a ilusão do olhar não era necessário, como na pintura, recorrer a uma réplica o mais fiel possível da realidade. Bastava embutir os olhos, deixá-los abertos e vazios, insondáveis. Aprovou essa regra, consagrada pela nobre tradição clássica e, deixando o olhar entre parênteses, foi em frente, disposta a encarar o novo desafio, o acordo difícil entre a boca e o nariz. Era ali, na ameaça do sorriso, no brando arfar das narinas, que tinha de aprisionar o invisível. E foi assim que aos doze anos de idade, insuflando vida, magicamente, à sua criatura, Sara Carone viu que *podia*.

O que aconteceu depois, sem pressa, entre pausas e indecisões — experiências artísticas, museus, estágio na Europa —, faz parte da biografia da artista e não cabe mencionar nesta nota breve. Prefiro me ater apenas à relação que Sara vem mantendo com a cerâmica.

A antropologia costuma definir o trabalho do ferro e do barro como ofícios ou artes do fogo. Se esta aproximação já dificulta a compreensão exata do que seja o ofício do poteiro, torna impossível penetrar no estilo personalíssimo de Sara Carone. O trabalho do ferro é viril, agressivo, impõe um gesto brusco e exige uma relação frontal com a chama. A técnica de Sara é íntima, feminina, pausada, e as etapas da criação se sucedem lentas, num diálogo ininterrupto com o calor do forno e não do fogo. O trajeto é reflexivo, cheio de indagações, avanços e recuos, atento aos acasos que, reavaliados, poderão assumir na obra a feição de traços estilísticos. Essa lentidão dá origem a um gesto manso, acolhedor e a uma *estética da espera*, se me permitem tomar o vocábulo *espera* no significado duplo de *paciência* e *esperança*, que tanto seduziu André Gide ao surpreendê-lo na bela expressão de nossa língua: *sala-de-espera*. O estúdio comprova o resultado admirável do percurso do artista, alinhando a nossa frente a harmonia assente e silenciosa das peças. Afinal, tudo foi bem resolvido: a relação de cada peça com o espaço, o entrosamento dos volumes entre eles, o coro afinado de volumes e grafismos. Sobre o faiscar intermitente dos pequenos brilhos, das superfícies craqueladas, da modulação suave dos tons, já podemos ouvir a límpida melodia das linhas de força, o jogo pendular em que se equilibram círculos e retângulos. Custamos a nos libertar das reminiscências da música, da pintura. Mas temos que esquecer Klee, Miró, e talvez Satie, porque a qualidade táctil da matéria conseguida nos obriga a ver como as crianças, não apenas com os olhos, mas com as mãos, deslizando os dedos sobre a superfí-

Sara Carone, obras em cerâmica.

cie vibrante, porosa, como a epiderme feminina. Que nome dar a essas peças tácteis e musicais? Potes? Vasilhas? Tigelas? É impossível chamá-las de utensílios, pois elas não têm nada a ver com a bela utilidade serviçal que desempenham na pintura de Chardin, servindo o pão, o leite, a sopa do fim do dia. O vasilhame de Sara, ao contrário, não nasceu para servir, mas para *criar o mundo*; ele pertence ao mundo autônomo, permanente, das formas e da beleza. — Não será essa uma vingança da artista? Presa como as companheiras às tarefas utilitárias da casa, prisioneira do fogo, ela soube ir aprisionando o calor à sua maneira, com aquela desenvoltura que já havia demonstrado em menina, quando decidiu esculpir, orgulhosa e solitária.

Uma artista exemplar

O mundo que Madalena Schwartz legou revela um relação com a fotografia sempre pessoal e muito receptiva. Seu olhar seguiu um caminho independente, e se às vezes repousa em certos hábitos do passado, como nas composições que reúnem dois retratados — pai e filho, a caridade e o indigente, o artista e a modelo, o perito e a obra de arte, o líder operário e a paisagem ferroviária — é por disciplina, não por respeito excessivo à convenção. Em geral ela é criativa e não renuncia ao comentário, que sabe acrescentar com graça à imagem, como por exemplo quando fixa a velha grã-fina, buscando no espelho a face perdida da mocidade. Às vezes se entrega emocionada à força persuasiva de uma expressão e, aproximando-se do modelo, deixa que o rosto invada sozinho o espaço, para apreender um olhar malicioso, a beleza fugidia de um sorriso, o entalhe barroco que a iluminação conferiu com dramaticidade a um rosto.

Há duas características que me impressionam na percepção aguda de Madalena. Em primeiro lugar, a capacidade de tornar o espaço homogêneo, abandonando a relação tradicional figura-e-fundo e apoiando-se num elemento plástico unificador, que pode ser a linha serpentina da fumaça e dos cabelos, o arabesco do encosto das cadeiras ecoando no peito da camisa, o entrançado de barba e cabeleira se prolongando no ritmo linear do instrumento. E em segundo lugar, a harmonia que a artista busca, obstinadamente, entre o gesto e a expressão facial e encontra, com rara felicidade, ao contrapor um perfil duro a mãos energicamente entrelaçadas. Esta *maneira* de elaborar com os recursos escassos da fotografia um *retrato comentado* leva Madalena Schwartz à descoberta admirável das *mãos disjuntivas* — se me permitem a expressão. Isto é, das mãos que embora paralelas em relação ao corpo, são simetricamente opostas, como direção e lugar que ocupam no espaço. Capazes, por conseguinte, de introduzir num campo aparentemente objetivo, como o da fotografia, um elemento inquietante e perturbador de ambigüidade. Madalena Schwartz manobra este recurso com a desenvoltura de quem sabe lidar com as sombras e conhece o ofício de projetar no papel o preto no branco. Que mais podemos pedir a uma artista verdadeira?

Variações sobre Michelangelo Antonioni

"Il est vrai à la fois que le monde est ce que nous voyons et que, pourtant, il nous faut apprendre à voir."

Maurice Merlau-Ponty, *Le visible et l'invisible*

Para o homem de hoje, mergulhado no universo sujeito ao olhar, é difícil conceber uma época ou uma cultura em que, na hierarquia dos sentidos, a visão não detenha prioridade. E no entanto o prestígio do olho é relativamente recente. Até o Renascimento — como lembra Lucien Febvre — o homem vivia próximo da natureza e das coisas, era um *homem-de-ar-livre*, para quem olfato, ouvido, tato e vista atuavam entrelaçados na apreensão do mundo. A poesia de Ronsard é testemunha disto — prossegue o grande historiador — pois discreta quanto às imagens visuais, é permeada de ruídos e perfumes do rumor agreste dos jardins e do murmúrio das águas. Mas quando o *homem-de-ar-livre* é substituído pelo *homem-de-estufa*, originário da cidade, os sentidos corpóreos vêem-se impelidos a ceder lugar aos mais nobres, o ouvido e a visão.[1]

---

[1] Levando adiante o comentário sobre a visualização progressiva do mundo, Lucien Febvre lembra ainda o exemplo da toponímia que, fiel à velha relação com a heráldica, vinha mantendo nas estalagens e nas tavernas os nomes de *À Rosa*, *Ao homem selvagem*, *Ao leão de ouro* etc. Mas depois que o Romantismo difundiu o sentimento da natureza, estes foram substituídos pelas designações

No início, a primazia cabe à audição, pois, embora o aparecimento da imprensa tenha imposto e disseminado a leitura, esta continua sendo feita em voz alta e na companhia de outros. Mas logo o emprego do vidro translúcido e a invenção das lentes — exemplo tão caro a Lewis Mumford — acelera a *visualização progressiva* do mundo; o hábito dos óculos amplia a jornada de trabalho e os anos de leitura, a utilização das lentes impulsionam o desenvolvimento decisivo da ciência moderna.[2]

Aliás, a visualização da percepção é um fenômeno tipicamente urbano e desde o Renascimento havia atingido a arte, ampliando o espaço da pintura, que deixara de representar a relação exclusiva do sagrado e do profano para estabelecer uma visão múltipla, que explorava indiferentemente a proximidade e a distância, o homem e a paisagem, a batalha em campo aberto e o espaço fechado das festividades públicas. A pintura holandesa leva adiante esta vocação nova do olhar para apreender a intimidade, ao percorrer a casa e surpreender a mão nos afazeres domésticos, quando ela costura, cozinha, varre o chão, ajeita o colar, calça a meia e, mesmo, cata a pulga. O espelho completa a

---

visuais como *Bela Vista*, *Vila Formosa*, *Barra Bonita*, que até hoje perduram nos vilarejos e pousos de beira de estrada. Ver Lucien Febvre, *Le problème de l'incroyance au XVIe siècle: la religion de Rabelais*, Paris, Albin Michel, 1942.

[2] Segundo Lewis Mumford, a modernidade está ligada ao ciclo do vidro, que a partir do século XV tornou possível o desenvolvimento da cultura e da ciência. Ao vidro translúcido, incolor, por exemplo, utilizado nas janelas e nas lentes, devemos atribuir a ampliação da jornada de trabalho e, através dos óculos, o aumento de duração dos anos de visão; o desenvolvimento das ciências novas como a bacteriologia, a astronomia; o desenvolvimento da química, as invenções do destilador, do barômetro, do termômetro, da eletricidade, do raio X, da fotografia. Ver Lewis Mumford, *The culture of cities*, Nova York, Harcourt, Brace and Company, 1938.

longa trajetória que vai do excepcional ao insignificante, do público ao privado, do visível ao invisível, voltando os olhos para o ego e prosseguindo a pesquisa da alma solitária.

Mas o grande período da visão se inicia, em verdade, no século XIX, com a modernização das cidades, quando as grandes estruturas de ferro e vidro abrigam as exposições internacionais, as bibliotecas, as lojas de departamento (os *grands magasins*), e se generaliza nos lugares públicos o emprego das janelas rasgadas e das vitrinas. A caricatura, a crônica, o romance da época irão comentar com extraordinária agudeza o engodo dessa conquista recente que, na expressão de Baudelaire, irá permitir ao pobre, enfim, contemplar de perto a alegria do rico.

O século XIX vai instalar o olhar no trono, ao desenvolver as teorias ópticas, a pintura ocular do Impressionismo, a ilusão científica de pintores como Seurat e Signac, a invenção da fotografia. A reprodução mecânica da realidade será o primeiro passo para a grande revolução estética das artes visuais e para o acontecimento artístico mais importante do século, o *cinema*.[3]

---

[3] É sabido que o cinema, oriundo da técnica e derivado da fotografia, não foi inicialmente uma arte. Panofsky, que lhe consagrou um ensaio encantador, mostra como em seus primórdios se encontra ligado a uma audiência popular, recrutada nos cafés e arrabaldes, que só vai ao cinematógrafo "para ver as coisas se mexerem como se fossem reais". Para atingir a mentalidade tosca deste público, a nova diversão vê-se obrigada a apoiar a narrativa em meios persuasivos, de fácil visibilidade que, utilizados sobretudo no mudo, sobrevivem até hoje, mesmo na grande arte cinematográfica. Entre outros Panofsky assinala o *paradigma*, tendência a estabelecer um elenco fixo de sinais; as *situações simbólicas*, como as que se armam nos sonhos e dramatizam um sentimento; as *oposições*, como o confronto de contrários: gordo/magro, bandido/mocinho, mulher fatal/mocinha-de-família; os *arquétipos*: justiça, decoro, pornografia leve, sadismo, humorismo grosso etc. Foi a partir deles que se elaboraram, aos poucos, os princípios estéticos

Quando Michelangelo Antonioni chegou ao cinema — no início da década de 1940 — a grande arte do olhar já havia passado por algumas etapas fundamentais: substituído a estética do mudo pela do falado, construído uma gramática, uma sintaxe, armazenado as obras formadoras. Apesar disso, como já acontecera com Cézanne ao se defrontar com a pintura, Antonioni se aplicou a redescobrir o cinema, testando os recursos específicos da imagem, sem pretender revigorá-los com injeções artificiais de outras artes. Partiu da visibilidade pura do documentário, realizando sete, de 1943 a 1950. No mesmo período elaborou alguns roteiros e finalmente em 1950 estreou no longa-metragem com *Crimes d'alma* (*Cronaca di un amore*), que já é um filme excepcional.[4]

---

específicos da grande arte cinematográfica. Assim, ao contrário do que aconteceu nas demais artes, em que o anseio artístico antecedeu e provocou a descoberta da técnica, no caso específico do cinema deu-se o contrário: foram os recursos originais do novo meio que propiciaram a sua utilização subseqüente.

Na verdade, as possibilidades específicas do cinema poderiam ser reduzidas a apenas uma: a *visualização do mundo* — e, portanto, ao *princípio de montagem* que, em suas inúmeras variantes, é responsável pela dinamização do espaço e espacialização do tempo. Eu gostaria de destacar, entre essas variantes, um recurso desenvolvido pelo cinema falado — e que Antonioni vai utilizar com freqüência — a *coexpressividade*, isto é, a possibilidade de fundir duas informações, a fornecida pela imagem e a fornecida pelo diálogo, para sublinhar uma intenção ou, ao contrário, introduzir no discurso uma dissonância perturbadora. Erwin Panofsky, "Style et matériau au cinéma", *Cinéma: théorie, lectures*, número especial da *Revue d'Esthétique*, organizado por Dominique Noguez, Paris, Klincksieck, 1973.

[4] Assistência de direção: *Les visiteurs du soir* (1942, dirigido por Marcel Carné). Roteiros: *Un pilota ritorna* (1942), *I due Foscari* (1942), *Caccia tragica* (1947). Documentários (roteiro e direção): *Gente del Po* (1943), *Nettezza urbana* (1948), *L'amorosa menzogna* (1949), *Superstizione* (1949), *Sette canne, un vestito* (1949), *La villa dei mostri* (1950) e *La funivia del Faloria* (1950).

Desde o início ele traz no bolso a estrutura básica da narrativa, que é a busca, em suas múltiplas variantes. Ela surge quase sempre associada a uma morte, e esta define gradualmente os protagonistas, impelindo a ação. Em *Crimes d'alma* é o medo diante do inquérito policial sobre a morte da amiga que reaproxima os antigos namorados, tornando-os amantes; em *As amigas* (*Le amiche*, 1955), Lorenzo se interessa por Rosetta, depois de ficar sabendo que ela tentara se matar; em *A aventura* (*L'avventura*, 1959), Sandro e Claudia se apaixonam enquanto procuram esclarecer o desaparecimento ou a morte de Anna; em *A noite* (*La notte*, 1960), a agonia de Tommaso acompanha o afastamento gradativo de Lidia e Giovanni.

Em geral os filmes de Antonioni são repetitivos e retomam os mesmos conflitos amorosos, a dificuldade permanente de conciliar carreira e afeição, sucesso profissional e integridade artística. Contudo, a análise dos sentimentos, dominante nas primeiras obras, passa com o correr do tempo para o segundo plano e, à medida que o amor se esgarça, o protagonista tende a substituir a relação íntima e corpórea que mantinha com o mundo — como Aldo, o operário, em *O grito* (*Il grido*, 1957) — pela relação mental e quase abstrata que em *Blow-up*, por exemplo, liga Thomas à sociedade moderna. Por outro lado, se examinarmos como os personagens centrais masculinos se distribuem no elenco das profissões, veremos que eles se afastam, gradativamente, das escolhas tradicionais para aderir às oportunidades oferecidas pela tecnologia do presente. Assim, com exceção do protagonista de *A noite*, que é *escritor*, e representa um pequeno desvio da dominante, eles serão sucessivamente *pintor* (*As amigas*), *arquiteto* (*A aventura*), *engenheiro* (*Deserto vermelho*), *corretor de valores* (*O eclipse*) e por fim *fotógrafo* (*Blow-up*). Será que Antonioni quer significar com esta progressão a vitória triunfal da técnica? Mas os títulos dos filmes sugerem, ao contrário, uma atitude de desencanto, quando substituem os vocábulos afetivos que dominavam a primeira fase — *o grito, o amor, a amizade, a aventura* — pelas imagens sombrias da *noite, o eclipse, o deserto,* que dominam o período da conversão ao universo da técnica. Acaso seria esta a intenção de Antonioni? É difícil responder, pois ele ama a oscilação semântica, a ambigüidade e está ora nos instalando na dúvida, ora nos confundindo com meros exercícios formais. Vejamos estas características em alguns exemplos, para fixar melhor a sua personalidade artística.

Tomemos, inicialmente, a longa seqüência da ilha, em *A aventura,* quando todos estão questionando o desaparecimento de Anna. O que terá acontecido com a moça? Os amigos indagam, inquietos, se ela teria se matado, caído dos rochedos, ou estaria, como de costume, se entregando a uma brincadeira de mau gosto. Alguém evoca, a propósito, o episódio recente quando ela assustou os companheiros fingindo que tinha sido atacada por um tubarão. "São essas coisas de Anna que me fazem perder a calma!", exclama impaciente o amante (Sandro). Aos poucos aumentam os indícios de que ela esteja, realmente, pregando uma peça em todos e o próprio pai, que foi chamado com urgência, conclui categórico, examinando a Bíblia que acabam de encontrar entre suas coisas: "Uma pessoa que está pensando em se matar não fica lendo a Bíblia".

No entanto, paralelamente ao debate verbal, o filme vai projetando as tomadas da busca, ou da longa espera, contrapondo à vaga esperança do diálogo as imagens insistentes de um mar devorador, que se atira enfurecido contra as pedras. Ou de um horizonte infinito de água, onde toda busca seria infrutífera.

É através de um procedimento semelhante, sempre indireto e ambíguo, que ao longo da seqüência na cidade de Noto Antonioni coloca o problema da dignidade artística. Uma série de pequenos indícios já nos vinha advertindo que o estado de

A sequência da procura de Anna em *A aventura* (1959).

espírito tenso e atormentado do protagonista — arquiteto sem integridade artística — não se prendia ao desaparecimento da amante ou ao remorso de a estar traindo com Claudia. Temos a confirmação disso na seqüência do alto do campanário, quando, ao avistar a cidade em todo o esplendor, Sandro faz a longa digressão sobre a beleza permanente do barroco, tão diversa das realizações transitórias da arte contemporânea. "Que liberdade extraordinária!", exclama comovido. "Era com coisas assim que eu sonhava..."

A partir desta confissão reveladora, Sandro parece esquecido do motivo que o trouxe à cidade. Vaga entre os prédios, absorto e enfeitiçado, quando divisa em um canto da praça um jovem arquiteto, copiando certo detalhe arquitetônico da igreja. Segue-se o episódio antológico do tinteiro: Sandro se aproxima curioso, balançando maquinalmente o chaveiro, que pende de sua mão, na extremidade de uma corrente. Fingindo examinar o desenho ele dirige em sua direção, como sem querer, o movimento pendular, que atinge o tinteiro, fazendo transbordar o nanquim sobre o papel.

Detenhamos-nos nesta poderosa imagem de choque. Ela não é nova no imaginário de Antonioni, pois dez anos atrás ele já a utilizara em *O grito*, numa versão em negativo, no momento em que Irma (Alida Valli), tomando consciência de que já se desapegara afetivamente de Aldo, entorna de repente o leite sobre a mesa. O acidente funcionava como a brusca revelação de uma verdade recalcada, e é com a mesma intenção que ela retorna em *A aventura*, desmascarando a consciência infeliz e o ressentimento profundo do personagem.

A partir deste momento Sandro é um pobre homem, que expõe ao nosso olhar a sua degradação crescente. A tomada final, já na noite aveludada de Taormina, fixa-o em pranto, sentado no banco do jardim, enquanto Claudia pousa-lhe na cabeça a mão que consola e perdoa. Sobre o muro do fundo podemos divisar, corroído pelo tempo, um elemento arquitetônico, se não me engano uma máscara. Sem recorrer ao diálogo, apenas justapondo as duas realidades que não apresentam nenhuma conexão num tempo e num espaço reais — o pranto de Sandro e o detalhe de arquitetura barroca — Antonioni conclui afinal o comentário que vinha fazendo sobre o personagem, informando-nos que o drama interior de Sandro não é afetivo, como inicialmente nos deixou supor, mas profissional, e foi desvendado ao contacto da beleza admirável de Noto.

A referência que agora faremos a *O eclipse* (*L'eclisse*, 1962) tem por objetivo assinalar um outro traço estilístico de Antonioni, que é utilizar, na tomada longa, a força persuasiva da imagem, sua *visibilidade* imediata.

Vittoria (Monica Vitti) e Riccardo (Francisco Rabal)
na cena inicial de *O eclipse* (1962).

A primeira seqüência do filme relata o momento final de uma ruptura amorosa. A madrugada já vai alta e a câmara, sem se deter nos protagonistas, percorre o *living* de um apartamento burguês, mostrando a borra que a passagem das horas foi deixando pelo caminho: os tocos de cigarro no fundo dos cinzeiros, a desordem dos objetos sobre os móveis, o grande silêncio que invade a sala depois da última recriminação. No dia seguinte a essa vigília dolorosa, em que Vittoria parecia ter deixado um pouco de sua alma, ei-la recomposta e disponível, à procura da mãe. Parece libertada como quem circula pela primeira vez no mundo. Para obter este violento contraste e o efeito de renascimento do personagem, Antonioni não recorre à montagem ou a qualquer explicação verbal, deixa apenas que o olhar, que na primeira seqüência apreendia os despojos de um campo de batalha, passeie agora pela tranqüilidade geométrica de um bair-

Vittoria, sua mãe (Lilla Brignone) e Piero (Alain Delon) na sequência do minuto de silêncio na Bolsa de Valores, em *O eclipse*.

ro de classe alta, pelos postes que ordenam o espaço e parecem agitar-se na brisa, emitindo pequenos ruídos metálicos. Logo mais iremos segui-la andando pelo quarto, sem ter o que fazer, retomando amorosamente o contacto com as coisas, a prancheta de desenho, o fóssil, por cuja superfície passeia o dedo curioso. Ainda está vagando com cautela na franja da vida, reconhecendo as pessoas, sorrindo-lhes de longe.

É nessa atmosfera distendida que vai se encaixar o idílio novo com Piero. Ao contrário dos outros filmes, Antonioni se detém com doçura neste amor provisório. *O eclipse* é o seu filme mais despojado, mais visual. Eu diria mesmo que, no conjunto de sua obra, representa uma espécie de distanciamento do figurativo, de namoro com a abstração. A narrativa, reduzida ao mínimo, não desenvolve as incompatibilidades entre os amantes — que no entanto a imagem assinala, quando focaliza de passagem o quadro de Signac, na parede do apartamento de Vittoria, e o *gadget* vulgar da esferográfica nas mãos de Piero. Mais importante que o entrecho, do que a análise dos sentimentos ou dos personagens, é a estrutura da narrativa, a alternância de tempos longos e curtos, ritmando a história. Neste sentido, são inesquecíveis dois achados: primeiro, quando Antonioni intercala o minuto de silêncio na agitação desvairada da Bolsa; o segundo, após o *intermezzo* amoroso, quando Piero vai repondo, um a um, os fones no gancho e os gestos mecânicos se conjugam ao ressoar das campainhas, para acusar a volta inexorável à rotina. E que dizer da bela panorâmica que arremata o filme e evoca o olhar nostálgico de Vittoria, rememorando ou se despedindo do cenário que abrigou o breve idílio?

No conjunto dos cineastas italianos surgidos depois da guerra, Michelangelo Antonioni é, sem dúvida, o temperamento mais visual. Não encontramos em suas fitas recordações literárias insistentes, como acontece com Visconti, nem a presença obsessiva da infância, característica de Fellini. Antonioni é um homem sem apego ao passado, um artista moderno, aparentemente inserido em sua época. É isso, aliás, que ele tenta nos expor em duas entrevistas, a primeira por ocasião do lançamento de *O deserto vermelho* (*Il deserto rosso*, 1964), a segunda, quando terminou *Blow-up* (1966). Acho oportuno referir esses dois testemunhos antes de passarmos à parte seguinte desta exposição, que vai se referir apenas a *Blow-up*.

A primeira entrevista, feita a Jean-Luc Godard, gravada e corrigida pelo autor, apareceu no *Cahiers du Cinéma*, em novembro de 1964. Nela Antonioni explica que ao filmar *O deserto vermelho* e analisar o caso de Giuliana, foi obrigado a tratá-lo de maneira diversa do que fizera em filmes anteriores e confrontá-lo com o meio social. A crise que a protagonista atravessa é, segundo ele, muito grave e afeta "não apenas as suas relações epidérmicas com o mundo", mas a sua percepção profunda do meio ambiente, das pessoas, dos sistemas de valores. Contudo, "esta espécie de neurose que vemos em *O deserto vermelho*", prossegue, "é sobretudo uma questão de adaptação: há pessoas que já se adaptaram e outras, como Giuliana, que ainda não o conseguiram, pois estão ligadas a estruturas e ritmos de vida hoje ultrapassados". O filme seria, num certo sentido, o esforço de vencer esse desacordo violento. "Minha intenção", conclui, "não foi acusar de desumano o mundo industrial, onde o indivíduo é esmagado e conduzido à neurose, mas, ao contrário, traduzir a beleza desse mundo, onde as fábricas podem ser belas".

A segunda entrevista, dada à revista *Playboy* em 1967 e publicada em *O Estado de S. Paulo*, em duas partes, em 26 de novembro e 3 de dezembro, refere-se à *Blow-up*, lançado nesse mesmo ano, e retoma aproximadamente os mesmos argumentos.

Transcrevemos a seguir o trecho que nos interessa mais de perto:

> "Em outros filmes tentei examinar *a relação entre uma pessoa e outra*, com maior freqüência a sua *relação amorosa*, a fragilidade de seus sentimentos, e tudo o mais. *Neste filme nada disso tem importância*. Aqui a relação é entre *um indivíduo e a realidade* — as coisas que estão em seu redor. Não há história de amor na fita, mesmo que vejamos relações entre homens e mulheres. A experiência do protagonista não é sentimental nem amorosa; antes uma experiência que se refere à sua relação com o mundo, com as coisas que encontra diante de si. É um fotógrafo. Um dia fotografa duas pessoas num parque. Um elemento da realidade que parece real. E é. Este filme talvez seja como Zen: no momento em que você o explica, você o trai. Ou seja, *um filme que pode ser explicado com palavras não é um filme verdadeiro*." [Os grifos são meus]

O confronto das entrevistas revela que embora os dois filmes sejam muito diversos representam etapas da mesma experiência de adaptação ao mundo da técnica. *O deserto vermelho* focaliza o momento preliminar, quando a protagonista, mulher de classe alta e sem profissão, e portanto ainda muito presa a sistemas tradicionais de valores, é acometida pela neurose, porque não consegue aderir "à nova cadência que a vida lhe impôs". *Blow-up* representa a etapa seguinte: a crise da personalidade já foi resolvida e o protagonista, adaptado ao mundo da técnica e desvencilhado de relações afetivas, procura resolver um problema que diz respeito apenas à sua relação com a realidade. É só isso que importa.

Como vimos, apesar de ter-se referido, na entrevista a *Playboy*, às intenções subjacentes ao filme, Antonioni teve o cuidado de acrescentar que elas não esgotavam o assunto ("um filme que pode ser explicado com palavras não é um filme verdadeiro"), nem eram a sua especialidade. "O meu negócio é contar histórias, narrar com imagens, nada mais", concluía ele, em outro trecho do mesmo testemunho. Negócio oposto ao da crítica que, como tentaremos demonstrar, se aplica a decifrar as significações que, contra a vontade do criador, costumam se depositar no rastilho indiscreto das imagens.

À primeira vista *Blow-up*[5] pode parecer apenas um filme admiravelmente construído e mais comercial que os demais de Antonioni, se levarmos em conta que foi, desde o início, um sucesso de bilheteria. No momento de sua elaboração apresentava um elemento muito grande de atualidade, pois, paralelamente

[5] Baseado no conto "As babas do diabo", de Julio Cortázar (edição brasileira in *As armas secretas*, tradução de Eric Nepomuceno, Rio de Janeiro, José Olympio, 1994).

à ação principal, a narrativa descrevia o comportamento da mocidade inglesa no fim da década revolucionária de 1960. No entanto, *Blow-up* não é um filme inglês e muito menos um filme comercial. É apenas um outro filme de Antonioni, complexo e cheio de indagações. Provavelmente a ambientação londrina lhe pareceu aderir ao tema, como Milão adere bem a *Crimes d'alma*, Turim a *A noite* e *As amigas*, Vale do Pó a *O grito*, Sicília a *A aventura*, Roma a *O eclipse* e a Sardenha a *Deserto vermelho*. Mas apenas isso.

Nos filmes anteriores Antonioni dirigia o nosso olhar para a relação entre as pessoas, sublinhando os conflitos que, na sociedade contemporânea, costumam opor o amor à ambição, o sucesso profissional à integridade artística. Em *Blow-up* houve mudança de rumo. Desde o início da narrativa, a imagem do jovem protagonista, que perambula por Londres, acionando compulsivamente o obturador da câmara fotográfica, adverte que não iremos assistir mais à disputa entre os homens, mas a um duelo com o mundo. O personagem que temos à nossa frente é ágil, mas automático, suas ações são afirmativas, mas inesperadas, e ele vem sempre acoplado a uma câmara fotográfica, espécie de prolongamento mecânico, de prótese do seu corpo. Estes sinais caracterizam uma figura masculina afastada do modelo básico dos outros filmes, embora se possa reconhecer através da diversidade dos traços o velho personagem que Antonioni vinha perseguindo: Thomas, como Lorenzo, Sandro ou Giovanni, é um artista. Mas um artista diverso do pintor, do arquiteto, do escritor, pois tem mercado certo de trabalho e, por conseguinte, libertou-se das concessões que os anteriores tiveram de fazer. Além disso, é eficiente e seguro na apreensão do real, pois já incorporou à visão natural o acréscimo de poder que o universo da técnica lhe oferece: a visão da objetiva fotográfica. Mas — repetimos — é um artista como os outros, e Antonioni não se esquece disso quando alude ao *parentesco* que o liga a Bill, que é pintor, mora no apartamento contíguo, trabalha com estruturas formais semelhantes — uma porção de manchinhas amontoadas — e se interessa pela mesma mulher.

Embora Antonioni declare na entrevista que, no filme, não pretendeu "examinar a relação entre uma pessoa e outra", nem levar em conta a experiência sentimental do protagonista, estas relações existem e são significativas. Como veremos, elas revelam uma curiosa gradação de sentimentos, que vão da indiferença e desrespeito pelo outro à franca hostilidade e mesmo ao sadismo. É o que notamos, por exemplo, na relação de Thomas com as modelos, descritas, se bem me lembro, em três seqüências. Na primeira, logo no início da fita, ele as trata como *coisas*, abandonando-as, abruptamente, em plena sessão de pose, imobilizadas e de olhos fechados. Sem nenhuma razão, por capricho ou por fastio. Bem mais complexa é a seqüência sadomasoquista com as duas garotas. Inicialmente a vítima do assédio histérico das duas meninas — que querem à força posar para o fotógrafo e terem a imagem estampada na revista — é Thomas. Mas logo a situação se inverte, convertendo-se na admirável ilustração do exercício de poder na sociedade machista e de cultura de massa. É possível que Antonioni tenha querido transpor, em registro caricatural, a situação incômoda que se estabelece com freqüência entre diretores de sucesso e jovens candidatas ao estrelato; mas, fiel à sua acentuada simpatia pelo universo feminino, acabou retratando, sobretudo, a ferocidade dos homens, na estranha posse a três que, aparentemente consentida, efetua-se entre gritos e roupas em frangalhos, sobre a superfície asséptica de uma enorme folha de papel. Situação bem diversa da que havia filmado com emoção em *A aventura* e que se passava ao ar livre, sobre a relva, enquanto a brisa desmanchava os belos cabelos de Monica Vitti.

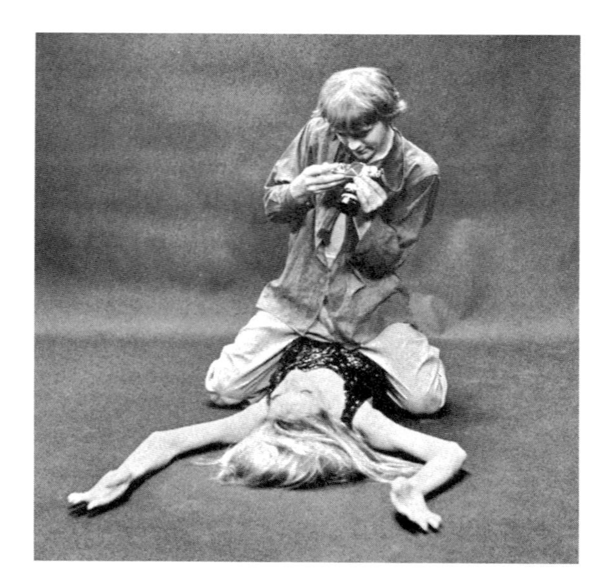

Thomas (David Hemmings) e Veruschka em *Blow-up* (1966).

Deixei para o fim, de propósito, a sessão de pose de Veruschka, a célebre modelo de modas, porque a cena é mais complexa e tem, pelo menos, três significações superpostas. No primeiro nível, a tomada é apenas uma *charge* sobre o artificialismo que sempre acompanha a obtenção da *naturalidade* numa fotografia de moda; no segundo, um pouco mais restrito, representa uma crítica à *elegância produzida* da alta costura, que, programada pela indústria da graça e da beleza, segue na sociedade de consumo o mesmo percurso de lançamento de qualquer mercadoria vulgar. Mas num terceiro nível, talvez mais profundo, a imagem não se refere mais à moda: no final da tomada o fotógrafo, ofegante e montado sobre a modelo, está aludindo, nitidamente, a uma posse amorosa. Esta, concebida assim descarnada (não carnal), mecânica e sobreposta à relação profissional, torna-se ofensiva como profanação à mulher — a mesma profanação que Paulo Emílio Salles Gomes surpreendia com mal-estar em numerosos momentos da arte contemporânea, sobretudo na seqüência final de *La dolce vita* (1960), de Fellini, quando Marcelo Mastroianni cavalga bêbado a prostituta indefesa.

Embora a meditação sobre o amor não seja exposta com franqueza, está presente e embutida com engenho na narrativa. O comportamento de David Hemmings e Vanessa Redgrave, por exemplo, é desde o momento do instantâneo no parque um jogo sinuoso de escaramuças, ataque e defesa, muito semelhante a uma corte amorosa. Chegamos a suspeitar que, a seu modo, os avanços e recuos da estratégia de recuperação das fotos traduzem um envolvimento erótico prestes a explodir. A certa altura da ação isso parece que vai acontecer, pois eis finalmente os dois protagonistas, um diante do outro e já sem as camisas. O dorso da mulher, magro e arqueado, é masculino como o seu longo rosto; o rapaz, ao contrário, é delicado, gracioso, quase feminino. O contraste tênue entre os corpos está como que anunciando a frágil atração mútua que vai se dissolver por encanto no ar, ao toque inesperado da campainha.

Essa fragilidade ou esse desencontro das relações afetivas reaparece no episódio em que Thomas surpreende, sem querer, a posse amorosa de Bill e Patricia. Vou me reportar ao *script*, onde a cena é apresentada mais ou menos como se segue: ao perceber a indiscrição involuntária que cometera, Thomas, contrafeito, faz menção de retirar-se. Patricia, surpreendida em pleno orgasmo, conserva a cabeça pendida para trás, na direção do amigo, e fita-o ansiosa, implorando-lhe para ficar. Thomas permanece alguns segundos observando a cena constrangido e em seguida se afasta. (Notar que esta é a única posse amorosa do filme, e quando a câmara a fixa um dos parceiros encontra-se emocionalmente ausente, preso a outro afeto.)

Por último lembramos que se toda a narrativa se organiza a partir do episódio do parque, este momento-chave tem duas leituras opostas. Isto é, o idílio, que à primeira vista parecia se inscrever harmoniosamente na paisagem bucólica, será desmascarado, nas ampliações do instantâneo, como expediente cruel, em que se atraiu um dos parceiros à morte. E que, portanto, como Antonioni já nos havia advertido em outros filmes, *o avesso do amor é, muitas vezes, o crime.*

Assim, ao contrário do que era afirmado na entrevista, *Blow-up* se refere insistentemente ao amor, mas para sublinhar sempre o aspecto mecânico, descarnado, frágil, anormal (de voyeurismo) e mesmo criminoso, que ele pode assumir no mundo contemporâneo.

O relacionamento de Thomas com o mundo e as coisas em redor não é menos revelador. Atentando bem percebemos que ele olha para tudo, mas *quase* não enxerga. Está empenhado apenas em registrar, registrar freneticamente, através da objetiva fotográfica, tudo o que tem pela frente, deixando sempre para depois a árdua tarefa de ver. O curioso é que faça isso com uma espécie de fúria incontida, como quem está acuado e sem rumo e por isso avança porque já não pode recuar. Às vezes parece um caçador, se esgueirando cauteloso entre as árvores, para surpreender melhor a presa; às vezes se assemelha a um combatente, empunhando a arma e detonando-a sem objetivo, clic, clic, clic, clic. Já não enxerga mais o mundo a olho nu, está perdido entre as coisas, esquecido daquela relação íntima com a natureza do *homem-de-ar-livre*, das crianças, das mulheres, relação espontânea e táctil que o próprio Antonioni rememora com nostalgia na metáfora insistente do contato do dedo com o objeto: em *A aventura*, durante a longa espera na ilha, o dedo de Claudia, contornando a folha do arbusto; o dedo de Vittoria em *O eclipse*, reconhecendo no quarto, depois da noite de ruptura, a forma familiar do fóssil; em *Blow-up* o dedo que Patricia desliza, pensativa e infeliz, sobre a corda estendida. É curioso que esta metáfora irá aparecer uma única vez, relacionada a Thomas, quando ele está no estúdio e as ampliações lhe desvendam o invisível. Mas não vamos antecipar.

Por ora, sabemos apenas que Thomas registra, mas não vê. Quem está vendo o mundo exterior somos nós, sentados em nossas poltronas e espectadores do filme. Não digo que estamos vendo tudo, mas vemos mais que o fotógrafo, pois vemos o parque, as árvores, o espaço amplo, calmo, deserto, a folhagem balançando no vento. Sentimos nesse retiro a presença apaziguadora da natureza e do amor — pois também estamos vendo o idílio.

Thomas não vê o que vemos. Sobretudo depois do instantâneo, está desconfiado, suspenso a "uma visibilidade iminente" que pode ter sido registrada pela máquina fotográfica, a um visível além da potência de seu olhar. Por isso não cede ao apelo da moça para que lhe entregue as fotos. Ele também está buscando alguma coisa. Sem muita coerência, através de atos fragmentados, de escolhas provisórias, de lutas sem sentido: empenha-se para comprar a hélice, mas assim que a obtém, abandona-a no chão; disputa a posse da guitarra, mas, chegando à rua, atira-a fora. O filme é, de certo modo, esse corpo-a-corpo com os fragmentos, os destroços, os atos inacabados, as verdades sem conclusão. E se o eixo central continua sendo a busca, esta — como acontece com a relação amorosa — foi reduzida a um esquema despojado, sem nenhuma palpitação afetiva. Agora Thomas procura a verdade do olho, quer saber o que passou fora do alcance de sua vista, o que a moça do parque sabia e ele não viu. É para responder a essas indagações que recorre ao registro da câmara fotográfica, auxiliar constante na luta estratégica que vem mantendo com a natureza.

Chegamos assim ao núcleo da narrativa, que é a seqüência das ampliações. Thomas está no estúdio. Ingressou, finalmente, no espaço da técnica, lugar poderoso e eficiente das inven-

A sequência de Thomas em seu estúdio, em *Blow-up*.

ções, das lentes, dos óculos, do aumento gradativo da potência do olhar. Lá está o homem e sua prótese, preparando-se para decifrar, sem erro, a realidade.

Sozinho no estúdio, Thomas examina com paciência as ampliações do instantâneo, que vão projetando à sua frente, cada vez maiores, as fatias do invisível. O olhar examina, compara, volta atrás, retifica. O dedo segue atento as conexões que antes não eram vistas, testemunhando que agora a imersão no real é confiante, corpórea. O raciocínio progride aos pedaços, mas coerente, e aos poucos vai permutando a maneira inicial de ver o mundo, no parque, pela que "a câmara impõe insidiosa" no estúdio. Finalmente, com a força de ver ampliada, Thomas começa a divisar atrás da folhagem o revólver, e na mancha esbranquiçada sobre a relva, o homem morto. O olhar mecânico e preciso da objetiva desvendou finalmente o crime.

A narrativa chegou a um impasse, pois fez incidir sobre o mundo exterior dois olhares, que se revelaram contraditórios. O primeiro, o *olhar natural*, viu a realidade de imediato, globalmente, e *viu o idílio* (a beleza). O segundo, o *olhar mecânico*, muito mais potente e eficaz, viu com retardo, decompôs o universo em pedaços do conhecimento e, reorganizando-os, *viu o crime* (a morte).[6] Para decidir entre as duas alternativas, Thomas volta de noite ao parque. E desta vez vê com os próprios olhos, estendido na grama, o homem morto. Mas infelizmente não pôde documentar a descoberta porque não trouxe com ele a objetiva fotográfica. Quando retorna, no dia seguinte munido de sua Contax, todos os vestígios haviam desaparecido. Thomas se encontra, portanto, no grau zero de sua investigação e já não pode afirmar nada a ninguém: o cadáver sumiu, as fotos que comprovavam o crime foram roubadas, a autora do delito desapareceu e ele mesmo já perdeu a confiança em seu próprio testemunho.

A progressão da incerteza no seu espírito é sugerida pelos três diálogos, que se referem às fotografias. O primeiro, pelo telefone e com o diretor da revista, se intercala na seqüência das ampliações. Thomas ainda é um homem confiante, pois examinando a primeira parte das provas, e deparando com o revólver

---

[6] É curioso que o método adotado por Thomas, no estúdio, se aproxima daquele que, segundo Moles, a teoria da informação gostaria de propor aos filósofos como síntese de uma atitude estruturalista e uma atitude estética. Levando em conta que "perceber é perceber formas" a teoria da informação proporia decompor o retrato do universo em pedaços do conhecimento visando, primeiro, fazer o levantamento de um repertório e, em seguida, recompor um modelo, que seria o simulacro desse universo, aplicando nessa tarefa as regras de *assemblage* ou interdição. Ver Abraham Moles, "Théorie informationelle de la perception", *in Le concept d'information dans la science contemporaine*, Les Cahiers de Royaumont, Gauthier Villars/Minuit, 1965.

escondido na folhagem, supõe que ao resistir à entrega do filme acabara afastando a vítima da mira. "Eu salvei um homem da morte", diz emocionado ao amigo. O segundo diálogo, com Patricia, depois que a análise minuciosa de todas as fotografias comprovam efetivamente o crime, já é bastante dubitativo:

> *Thomas*: Hoje eu vi um homem morto.
> *Patricia*: Onde?
> *Thomas*: Assassinado. No parque.
> *Patricia*: Tem certeza?
> *Thomas*: Ele ainda está lá.
> *Patricia*: Mas quem era?
> *Thomas*: Um cara.
> *Patricia*: Como foi que aconteceu?
> *Thomas*: Sei lá. Eu não vi.
> *Patricia*: Não viu?
> *Thomas*: Não.

Inicialmente ele afirma que *viu* um homem morto, mas quando lhe indagam se está bem certo disso, responde de maneira evasiva — "ele ainda está lá" —, em seguida furta-se a dar maiores esclarecimentos sobre a vítima, referindo-se à mesma como "um cara", para terminar confundindo-nos com uma resposta ambígua, que nos deixa em dúvida se *não presenciou* o assassinato, ou *se não viu o homem morto*. Quanto ao terceiro diálogo, já revela uma desistência de esclarecer o problema, uma capitulação:

> *Thomas*: Hoje eu vi um cadáver. Você quer tirar uma foto dele?
> *Amigo*: Eu não sou fotógrafo.
> *Thomas*: Eu sou.
> *Amigo*: O que você viu no parque?
> *Thomas*: Nada.

A perplexidade apontada pelo diálogo nos prepara para o que iremos ler, logo mais, na fisionomia, no abatimento de Thomas quando, vencido, deixa pela última vez o parque. Nos prepara, sobretudo, para aceitar a brusca mudança de tom do filme, que, desistindo de manter o debate no plano insolúvel em que se encontrava, interrompe-o bruscamente, reintroduzindo na narrativa o motivo aparentemente ornamental dos *clowns*.

A bem dizer, o motivo dos *clowns* já nos tinha sido apresentado, pois dera início à narrativa, quando o carro de capota arreada irrompe na tela, conduzindo o bando ruidoso. Vendo-o reaparecer para arrematar a história, percebemos que não se tratava, como supúnhamos, de um motivo ornamental, sem grande significação na estrutura da obra, mas de um tema de abertura, bem configurado, que retomado no final, sob a forma muito mais complexa de uma alegoria, servia de fecho ou conclusão à obra. Era, por conseguinte, um tema fundamental, e esta constatação inesperada nos obriga a um exame atento das duas seqüências.

A primeira seqüência, dizíamos, já nos apresenta aos *clowns*, que saltando do automóvel, no meio de grande algazarra, misturam-se aos indigentes e cercam Thomas, instalado em seu carro de luxo. O fotógrafo que se mantinha sério e pouco à vontade — pois se disfarçara em *clochard* para pernoitar no albergue e fotografar a miséria — ri do alarido dos jovens e, antes de dar partida no carro, lhes entrega o farnel da noite. Estes, em retribuição, depositaram na traseira do veículo o cartaz que traziam consigo. Portanto, ao contrário do que irá acontecer ao longo da narrativa, onde o contacto com a juventude será sempre áspero e hostil, estabelece-se entre o protagonista e os *clowns* uma relação cordial, lúdica, um verdadeiro pacto.

É preciso ter esta cena presente na memória para entender a seqüência final, quando retomaremos o contacto com os *clowns*. Ruidosos como sempre, eles reaparecem e cercam a quadra de

A entrada final dos *clowns* em *Blow-up*.

tênis, onde dois deles iniciam uma partida simulada, fingindo pelos gestos e o movimento do olhar a presença fictícia das raquetes e da bola. Um pouco afastado da cena, Thomas, que acaba de sair do parque, observa com atenção o jogo curioso, interrompido a certo momento como se a bola tivesse sido arremessada na direção do fotógrafo. Os jogadores, parados, interrogam-no com o olhar e, apontando com insistência para a bola, sugerem por gestos que ele a devolva. Thomas hesita, indeciso, e finalmente se curva, apanha a bola invisível e a devolve à quadra. O jogo prossegue normalmente, nós ouvimos o ruído das pancadas no chão, vemos o olhar de Thomas ir e vir, acompanhando os lances da partida. Ele então abaixa os olhos, como quem aceitou com humildade as regras do jogo, e a câmara executa um *travelling* para o alto, focalizando-o de cima, numa tomada aérea, solitário e pequenino.

Se tentarmos estabelecer um nexo entre as duas seqüências, veremos que elas não só representam uma ruptura no tratamento realista da obra como introduzem um dado novo na discussão. Esta se passara ora no *espaço da natureza* (o parque), ora no *espaço da técnica* (o estúdio), e eis que nos damos conta de um terceiro espaço que, embora proposto desde o início do filme, não nos tinha chamado a atenção: o *espaço da fantastia*. O curioso é que não se trata de uma característica *deste* filme, mas de uma constante do imaginário de Antonioni, onde funciona sempre como tema auxiliar, desenvolvido pelo diálogo, a que chamaremos o *tema das utopias*.

Com efeito, em vários filmes Antonioni deixa aflorar, a certa altura da narrativa, um desejo de fuga. Não de uma fuga para a infância, como é o caso de Fellini, ou para o passado, como acontece com Visconti: mas uma evasão no espaço, para um país exótico ou uma *terra sem males*. Em *O eclipse*, Vittoria pintada de preto e figurando uma africana alude ao Quênia, "onde ninguém sofre, porque não se fala de amor"; em *O grito*, uma das pessoas que Aldo encontra pelo caminho, em sua peregrinação pelo Vale do Pó, confessa-lhe que gostaria de ir para a Venezuela, "onde se comem iguanas"; Corrado, o amante infeliz de *O deserto vermelho*, sonha evadir-se para a Patagônia; a Austrália é mencionada, não me lembro mais onde; e em *Blow-up* a mocinha do antiquário trava com Thomas o seguinte diálogo:

> *Moça*: Eu gostaria de tentar uma coisa diferente. Ir embora. Oh! Estou cansada de antiguidades!
>
> *Thomas*: Ir para onde?
>
> *Moça*: Para o Nepal.
>
> *Thomas*: Mas o Nepal é uma antiguidade só!
>
> *Moça*: É mesmo? Então talvez fosse melhor ir para o Marrocos.

Quênia, Nepal, Marrocos, Patagônia... não são apenas belos nomes... Significam, paradoxalmente, a insatisfação com o presente, com a cultura ocidental e os aspectos desumanos da técnica; significam a abertura daquele terceiro espaço da fantasia, onde afinal Thomas aceitou ingressar. É verdade que o nosso herói não poderá permanecer ali. A câmara o focaliza de longe e sozinho. Infelizmente ele é um homem depois da queda e já perdeu a inocência, mas por um momento pôde vislumbrar o apelo da esperança.

Blow-up foi escolhido, nesta exposição, como exemplo da vertiginosa ascensão do olhar e de sua tomada de poder, enquanto sentido absoluto; ascensão que se fez acompanhar, como vimos de relance, pelo desenvolvimento da técnica, pela descoberta de novos mundos, por uma maneira nova de ver as coisas, pela instauração de uma arte nova. A entrevista em que Antonioni expõe as intenções do filme, a caracterização que faz do protagonista, a seqüência central do estúdio, podem sugerir que *Blow-up* representa a conversão ao mundo da técnica, que já vinha se insinuando desde *O deserto vermelho*. Contudo, como que a contragosto, mas derivando de sua formação humanista, foi se instalando na obra — e roendo-a por dentro — um elemento perturbador, que procuramos ler nas imagens, no tratamento do personagem, nas indicações do diálogo e na articulação que alguns temas parecem manter com seus outros filmes. Todos esses elementos apontam, paradoxalmente, para uma obra diversa da que ele projetou realizar, demonstrando que a intenção do criador é precária diante da autonomia incontrolável das formas. Foi a essa exigência que Michelangelo Antonioni acabou se submetendo.

Notas sobre Fred Astaire

1.

A estética de Fred Astaire, ao contrário da estética do balé tradicional, não pressupõe estruturas fechadas, incomunicáveis, diversas das formas do mundo exterior. Aqui, o bailarino não se destaca em nada do que o circunda, não se diferencia na vestimenta, na gesticulação, na dinâmica corporal, na relação com os objetos, que são os do cotidiano: sapatos, bengala, instrumentos de orquestra, mobiliário, além das divisões do espaço do quarto, da sala, do parque, do navio. E há o diálogo incessante com os instrumentos, não apenas por meio das mãos, mas também dos pés, sem estrépito, sem estardalhaço, sem violência; com simpatia e profunda adesão. O oposto de Samuel Beckett em *Esperando Godot*. Ele está inserido no mundo, e se subir e descer pelas paredes, se inverter a utilidade de cada objeto, não se opõe a eles.

2.

Fred Astaire parece fazer uma aposta ao assumir o traje que o século XIX consagrou e Baudelaire designava como uniforme de papa-defunto: a casaca preta, a cartola que repetia a chaminé das fábricas, num despojamento que o instala no grau zero da vestimenta, reduzida ao preto, o branco, o gesto — longe de Godot e perto dos quadros cubistas. Ao mesmo tempo, os objetos são repensados, refeitos, como se ele lhes insuflasse significações novas, a exemplo da bengala que transforma em metralhadora numa cena de *Picolino* (*Top hat*, 1935). Simultaneamente, reduz o corpo a um suporte do gesto, não mobilizando em nenhum momento a beleza muscular, a plástica corporal, como fazem o balé clássico e Gene Kelly. É como se lhe bastasse a beleza do gesto — pura, livre, autônoma e descarnada. O seu não é um mundo de sonho, ou de cópia do real, mas o da metamorfose, das transformações, como a areia que se espalha no assoalho em *Picolino* para amortecer o ruído dos passos, abafar a sonoridade, abaixá-la a uma suave aspereza, quase um sussurro, como o traço que o lápis de Seurat deixa no grosso papel granulado de seus desenhos.

3.

Talvez seja ele o maior bailarino do século XX, o mais moderno. Os outros, mesmo modernos, como Gene Kelly, são uma *sobrevivência*. Sobrevivência na música, na coreografia, na roupa, no cenário, como, em *Sinfonia de Paris* (1951), Kelly vestido de Pierrot e a *partner*, de Colombina, sinais de nostalgia que é também heroicização, um pouco como a reverência dos futuristas pela máquina. No fundo, incapacidade do artista de conviver harmoniosamente com o mundo contemporâneo.

Em Fred Astaire, a adesão à modernidade já aparece na maneira de cantar e na escolha dos compositores: Cole Porter, Gershwin. Por isso foi o predileto deles, apesar de ter pouca voz, pois era o mais musical, o mais fiel às pausas e ao ritmo. *Vamos*

Fred Astaire (1899-1987)

dançar (*Shall we dance?*, 1937) talvez seja o seu pior filme, porque nele busca uma espécie de denominador comum entre moderno e arcaico; mas é admirável quando ajusta à sua maneira outras modalidades de dança, como fizera com as rumbas em *Voando para o Rio* (*Flying down to Rio*, 1933), tendo como parceira Ginger Rogers, e em *Ao compasso do amor* (*You'll never get rich*, 1941), ao lado de Rita Hayworth.

4.

Seria interessante averiguar a possível relação entre Charles Chaplin e Fred Astaire, entre o vagabundo e o super-elegante, dois dos artistas mais representativos do mundo contemporâneo, aquele, no travo da dor, este, na fantasia otimista. Ambos seriam representações simbólicas equivalentes a antigos pares opostos, como os figurantes da *Commedia dell'Arte*. Se estes nada mais têm a ver com o mundo contemporâneo, os encarnados por Charles Chaplin e Fred Astaire seriam mais ou menos como os tipos desenhados por Constantin Guys e celebrados por Baudelaire no famoso ensaio *Le peintre de la vie moderne*.

Tanto Chaplin quanto Fred Astaire têm o poder de transfigurar os objetos com perícia de prestidigitador. Mas Chaplin o faz como um caricaturista muito crítico das diferenças sociais, da injustiça, do afastamento entre as pessoas, o que o leva a sublinhar o lado trágico e chegar à representação do absurdo, como a transformação da botina em comida no filme *Em busca do ouro*. Em Fred Astaire, ao contrário, não há crítica social nem caricatura, pois ele reduz tudo à dimensão lúdica e realiza uma admirável transposição poética do mundo, fazendo do gesto tradução da metáfora.

5.

Ele é o grande dançarino da vida moderna. Nele, o gesto aparece em toda sua beleza e simplicidade, mas com naturalidade e reserva, como, de seu lado, a voz canta sem querer chegar ao grito. Fred Astaire não pretende vencer a gravidade, nem realizar o milagre de Nijinski atravessando o palco com um salto. No seu mundo não há passes de mágica nem sustos. É um mundo harmonioso que ele não desafia e ao qual adere, pois não se trata de vencê-lo, e sim de transfigurá-lo.

Nesse sentido é exemplar o extraordinário bailado de *Picolino*, no qual todos os figurantes são homens de casaca, bengala e cartola. Inicialmente, só no proscênio, com o mudo coro masculino no fundo do palco, Fred Astaire efetua uma espécie de introdução ao bailado por meio de gestos que descrevem a indumentária, indicando a gravata, os punhos, as abas da casaca, numa espécie de início da coreografia. É admirável a utilização das mãos, prodigiosa devido à naturalidade, não a qualquer artifício, como o das danças asiáticas. Elas traçam o gesto natural, cotidiano, do homem da rua, habitante das grandes cidades como o do dândi baudelaireano. É como se estivéssemos vendo algo semelhante ao cumprimento coreográfico de Saint-Loup em *Em busca do tempo perdido*, ou a uma herança das velhas maneiras de andar referidas por Cecil Beaton. Como coroamento, a metamorfose da bengala em metralhadora, com a qual fuzila sem ódio, um por um, todos os figurantes. E em tudo isso o dançarino Fred Astaire é o homem ancorado no cotidiano, sem nostalgia nem ressentimento, realizado por meio dos elementos que soube organizar, melhorando cada um de modo a não excluir nada e transformar tudo em metáfora. É como se ele próprio fosse um faz-de-conta, um cavalinho de pau, o *hobby horse* de Gombrich.

6.

A incorporação dos objetos em seus números de dança é paralela ao que faziam os cubistas (sobretudo Braque e Picasso) com o que povoa o seu ateliê: a mesinha, o violino, o cachimbo, as cartas do baralho, o jornal. Ou até ao que faziam alguns pintores do passado, como certos holandeses (lembremos a carta do quadro de Vermeer) ou Chardin com seus potes, canecas, vasilhames.

Nessa incorporação de tantos elementos, Fred Astaire (ao contrário da hostilidade criada por Beckett em *Esperando Godot*) estabelece o convívio harmonioso, a humanização dos instrumentos de música, da bengala, do cabide, da cadeira, da vassoura, do porta-retrato — que vai transfigurando. Mas no seu universo não há subserviência ao passado, como na coreografia tradicional que ainda impera na Rússia. Não há princesas nem príncipes, não há duendes, feiticeiros, lagos, caçadas. Há apenas o mundo presente, com a sua roupa de uso e os seus sentimentos reais. Poderíamos mesmo dizer que quando há o salto, é como se não houvesse as pernas, pois o que apreendemos é o arabesco das abas da casaca em pleno vôo, a nitidez gráfica do desenho, o preto no branco.

Ele é um bailarino de salão, de câmera, tocado pelo espírito dos *Twenties*, como Schiaparelli, Patou, Poiret, Chanel, equivalendo de certo modo ao andar da duquesa de Guermantes com a sua sombrinha, ou o de Irene Castle descrito por Cecil Beaton.

7.

Fred Astaire é um dos poucos gênios artísticos do século XX e foi bom que não fosse bonito, como Robert Taylor, Clark Gable, Gary Cooper ou Tyrone Power, porque, sendo como era, manteve-se *gesto*, gesto puro, graça pura, arte pura, libertando-se dos cacoetes da mocidade para se tornar na dança um desenhista, um dançarino gráfico, puro arabesco sem cor.

Nota de agradecimento

A autora manifesta sua gratidão a Augusto Massi, sem cujo estímulo e sem cujo auxílio este livro não teria sido organizado.

Sobre os textos

I.

"Sobre *O banquete*", orelha de *O banquete*, de Mário de Andrade. Prefácio de Jorge Coli e Luiz Carlos da Silva Dantas. São Paulo: Duas Cidades, 1989.

"O professor de música", in *Introdução à estética musical*, de Mário de Andrade. Estabelecimento do texto, introdução e notas de Flávia Camargo Toni. São Paulo: Hucitec, 1995.

"A poesia de Mário de Andrade", in *Os melhores poemas de Mário de Andrade*, seleção e apresentação de Gilda de Mello e Souza. São Paulo: Global, 1988.

"O colecionador e a coleção", in *Coleção Mário de Andrade: Artes Plásticas*, de Marta Rossetti Batista e Yone Soares de Lima. São Paulo: IEB-USP/Metal Leve, 1984; 2ª edição: São Paulo, Edusp, 1998.

"O mestre de Apipucos e o turista aprendiz", *Luso-Brazilian Review*, vol. 32, nº 2, Madison, University of Wisconsin Press, 1995. Republicado em *Teresa: Revista de Literatura Brasileira*, nº 1, São Paulo, Editora 34/Departamento de Letras Clássicas e Vernáculas, 2000.

II.

"Macedo, Alencar, Machado e as roupas", *Novos Estudos Cebrap*, nº 41, São Paulo, mar. 1995.

"As migalhas e as estrelas", resenha de *Mandril*, de Zulmira Ribeiro Tavares, *Jornal do Brasil*, Suplemento *Idéias*, 29/10/1988.

"Prefácio", in *Lasar Segall e o modernismo paulista*, de Vera d'Horta Beccari. São Paulo: Brasiliense, 1984.

"Duas notas: João Câmara Jr. e Gregório Correia", *Arte em Revista*, nº 7, São Paulo, ago. 1983.

"Rita Loureiro reinventa a pintura", in *Boi Tema*, de Rita Loureiro. Rio de Janeiro/São Paulo: Philobiblion/Edusp, 1987.

"Feminina, táctil, musical", in catálogo da exposição *Cerâmica de Sara Carone*, Ouro Preto, Museu da Inconfidência, jul.-ago. 1992.

"Uma artista exemplar", in *Personae: fotos e faces do Brasil*, de Madalena Schwartz. São Paulo: Funarte/Companhia das Letras, 1997.

"Variações sobre Michelangelo Antonioni", in *O olhar*, organização de Adauto Novaes *et al.* São Paulo: Companhia das Letras, 1988.

"Notas sobre Fred Astaire" é inédito.

Índice onomástico

Sobre a autora

Gilda de Mello e Souza, em solteira Gilda de Moraes Rocha, nasceu em São Paulo no ano de 1919. Passou a infância na fazenda de seus pais em Araraquara, vindo para São Paulo em 1930 para fazer o curso secundário no Colégio Stafford, onde se diplomou no fim de 1934. Em 1936 cursou a 2ª série do Colégio Universitário Anexo à Universidade de São Paulo, em cuja Faculdade de Filosofia, Ciências e Letras ingressou em 1937, recebendo no começo de 1940 o grau de bacharel em Filosofia. Nesse ano fez o curso de formação de professores e recebeu o grau de licenciada. Fez parte do grupo que em 1941 fundou a revista *Clima*, em cuja produção sempre colaborou e na qual publicou artigos e contos. Em 1943 foi nomeada assistente da Cadeira de Sociologia I (Roger Bastide). Em 1950 recebeu o grau de Doutora em Ciências Sociais com a tese *A moda no século XIX*, publicada em 1952 na *Revista do Museu Paulista* (Nova Série), vol. V. Em 1954, a convite do professor João Cruz Costa, passou a encarregada da disciplina de Estética no Departamento de Filosofia, do qual foi diretora de 1969 a 1972, tendo fundado então a revista *Discurso*. Aposentou-se em 1973 e recebeu em 1999 o título de Professora Emérita da sua Faculdade.

CRÍTICA

O tupi e o alaúde: uma interpretação de Macunaíma. São Paulo: Duas Cidades, 1979; 2ª edição, São Paulo: Duas Cidades/Editora 34, 2003.

Mário de Andrade, obra escogida. Seleção, prólogo e notas. Trad. Santiago Kovadloff. Caracas: Biblioteca Ayacucho, 1979.

Exercícios de leitura. São Paulo: Duas Cidades, 1980; 2ª edição, São Paulo: Duas Cidades/Editora 34 (no prelo).

Os melhores poemas de Mário de Andrade. Seleção e apresentação. São Paulo: Global, 1988; 5ª edição, 2000.

O espírito das roupas: a moda no século XIX. São Paulo: Companhia das Letras, 1987; 4ª reimpressão, 2001.

A idéia e o figurado. São Paulo: Duas Cidades/Editora 34, 2005.

Ensaios e resenhas

Apresentação do programa da peça *Dona Branca*, de Alfredo Mesquita, 1939.

"Poesia negra norte-americana", *Revista Acadêmica*, nº 59, Rio de Janeiro, jan. 1942.

"À margem do livro de Jean Valtin", *Clima*, nº 9, São Paulo, abr. 1942.

"*Og*, de Adalgisa Nery", *Clima*, nº 12, São Paulo, abr. 1943.

"*O lustre*, de Clarice Lispector", *O Estado de S. Paulo*, São Paulo, 14/7/1946. Republicada em *Remate de Males*, nº 9, Campinas, IEL-Unicamp, 1989.

"Dois poetas (sobre Manuel Bandeira e Carlos Drummond de Andrade)", *Revista Brasileira de Poesia*, nº 2, São Paulo, abr. 1948.

"Homenagem a Eduardo de Oliveira e Oliveira", *Novos Estudos Cebrap*, nº 1, São Paulo, dez. 1981. Republicado em separata do Instituto Moreira Salles, Casa da Cultura de Poços de Caldas, mai. 1995.

"Solilóquio da infância" [sobre *Espelho do Príncipe*, de Alberto da Costa e Silva], *Jornal de Resenhas*, nº 5, São Paulo, Folha de S. Paulo/Discurso Editorial/USP, 1995.

Ficção

"Week-end com Teresinha", *Clima*, nº 1, São Paulo, mai. 1941.

"Armando deu no macaco", *Clima*, nº 7, São Paulo, dez. 1941.

"Rosa pasmada", *Clima*, nº 12, São Paulo, abr. 1943.

"A visita" *in* "Suplemento Literário" de *O Estado de S. Paulo*, nº 71, São Paulo, 1/3/1958. Republicado na coleção Confete, São Paulo: Empório Cultural, 1991.

TRADUÇÃO

Asmodée, de François Mauriac. Co-tradução com Décio de Almeida Prado e Helena Gordo. [Inédito]

A dama das camélias, de Alexandre Dumas Filho. Prefácio de Alfredo Mesquita. Série Teatro Universal. São Paulo: Brasiliense, 1965; nova edição: Rio de Janeiro: Paz e Terra, 1996, Coleção Leitura.

Arte e sociedade, de Roger Bastide. São Paulo: Martins, 1945; 3ª edição, Editora Nacional, 1979.

"A cantiga de amor de J. Alfred Prufrock", de T. S. Eliot, *in* João Roberto Faria, Vilma Arêas, Flávio Aguiar (orgs.), *Décio de Almeida Prado: um homem de teatro*. São Paulo: Edusp/Fapesp, 1997.

Créditos das fotografias:
pp. 105 e 107, Museu Lasar Segall/IPHAN/MinC, São Paulo;
p. 141, Romulo Fialdini.

COLEÇÃO ESPÍRITO CRÍTICO

direção de Augusto Massi

A Coleção Espírito Crítico pretende atuar em duas frentes: publicar obras que constituem nossa melhor tradição ensaística e tornar acessível ao leitor brasileiro um amplo repertório de clássicos da crítica internacional. Embora a literatura atue como vetor, a perspectiva da coleção é dialogar com a história, a sociologia, a antropologia, a filosofia e as ciências políticas.

Do ponto de vista editorial, o projeto não envolve apenas o resgate de estudos decisivos mas, principalmente, a articulação de esforços isolados, enfatizando as relações de continuidade da vida intelectual. Desejamos recolocar na ordem do dia questões e impasses que, em sentido contrário à ciranda das modas teóricas, possam contribuir para o adensamento da experiência cultural brasileira.

Roberto Schwarz
Ao vencedor as batatas

João Luiz Lafetá
1930: a crítica e o Modernismo

Davi Arrigucci Jr.
O cacto e as ruínas

Roberto Schwarz
Um mestre na periferia do capitalismo

Georg Lukács
A teoria do romance

Antonio Candido
Os parceiros do Rio Bonito

Walter Benjamin
Reflexões sobre a criança, o brinquedo e a educação

Vinicius Dantas
Bibliografia de Antonio Candido

Antonio Candido
Textos de intervenção
(seleção, introduções e notas de Vinicius Dantas)

Alfredo Bosi
Céu, inferno

Gilda de Mello e Souza
O tupi e o alaúde

Theodor W. Adorno
Notas de literatura I

Willi Bolle
grandesertão.br

João Luiz Lafetá
A dimensão da noite
(organização de Antonio Arnoni Prado)

Gilda de Mello e Souza
A idéia e o figurado

A sair:

Erich Auerbach
Ensaios de literatura ocidental

Gilda de Mello e Souza
Exercícios de leitura

Este livro foi composto
em Adobe Garamond pela
Bracher & Malta, com
fotolitos do Bureau 34 e
impresso pela Bartira Gráfica
e Editora em papel Pólen Soft
80 g/m^2 da Cia. Suzano de
Papel e Celulose para a
Duas Cidades/Editora 34,
em agosto de 2005.